日本語初級 ② 大地（だいち）

メインテキスト

山﨑佳子・石井怜子・佐々木 薫・高橋美和子・町田恵子

スリーエーネットワーク

©2009 by 3A Corporation
All rights reserved. No part of this publication may be reproduced, stored in a retrieval system, or transmitted in any form or by any means, electronic, mechanical, photocopying, recording, or otherwise, without the prior written permission of the Publisher.

Published by 3A Corporation.
Trusty Kojimachi Bldg., 2F, 4, Kojimachi 3-Chome, Chiyoda-ku, Tokyo 102-0083, Japan

ISBN978-4-88319-507-7 C0081

First published 2009
Printed in Japan

はじめに

　本書は『日本語初級１大地　メインテキスト』に続く初級後半のテキストです。初めて日本語を学ぶ学習者が、限られた時間の中で、楽しく、効果的に日本語を学習できることを目指した教科書です。

　初級学習者のニーズを念頭に、日本語で自分を語れるようになること、話す相手・状況を考慮して会話ができるようになることを意識して作成しました。最終的には、教科書の中だけでなく、教室の友達や実際の生活の場で接する日本人との関係を築けるような日本語の習得を目指しています。

　それぞれの練習は現実の場面を想定して構成し、基本的な練習であってもその学習した日本語が日々の生活で使えるように作成しました。また、文化や地理などについて知る喜びも得られるように、内容を十分吟味しました。

　本書は企画から完成まで６年の歳月をかけ、６回の使用を経て完成しました。その間、試行版イラストをおかきくださった高村郁子さん、阿部朝子さん、深沢和可さん、ご協力いただいた白井香織さん、江上清子さん、アジア学生文化協会日本語コースおよび東京大学工学系研究科日本語教室の学生の皆さん、また貴重なご意見をお寄せくださった先生方にこの場をお借りして感謝の意を表したいと思います。

2009年10月　山崎佳子
石井怜子
佐々木薫
高橋美和子
町田恵子

目次

はじめに
お使いになる先生方へ ……………………………………… (1)
本書の構成 …………………………………………………… (4)
各課の構成 …………………………………………………… (5)
凡例 …………………………………………………………… (6)

動詞の形 ……………………………………………… カバー裏
登場人物 ……………………………………………………… (8)

23	橋を渡ると、左に公園があります ……………	1	会話 01 練習問題 02
24	この動物園は夜でも入れます ……………	7	会話 03 練習問題 04
25	何をやるか、もう決めましたか ……………	13	会話 05 練習問題 06
26	サッカーの合宿に参加したとき、もらいました ……………	19	会話 07 練習問題 08
27	いつから熱があるんですか ……………	25	会話 09 練習問題 10
まとめ 5		31	
28	空に星が出ています ……………	33	会話 11 練習問題 12
29	責任のある仕事だし、新しい経験ができるし…… ……………	39	会話 13 練習問題 14
30	お菓子の専門学校に入ろうと思っています	45	会話 15 練習問題 16
31	あしたまでに見ておきます ……………	51	会話 17 練習問題 18
32	りんごの皮はむかないほうがいいですね ……	57	会話 19 練習問題 20
まとめ 6		63	

33	車<ruby>くるま</ruby>があれば、便<ruby>べん</ruby>利<ruby>り</ruby>です ……………	65	会話 21	練習問題 22
34	試<ruby>し</ruby>合<ruby>あい</ruby>に負<ruby>ま</ruby>けてしまいました ……………	71	会話 23	練習問題 24
35	傘<ruby>かさ</ruby>を持<ruby>も</ruby>ち歩<ruby>ある</ruby>くようにしています ……	77	会話 25	練習問題 26
36	いろいろな国<ruby>くに</ruby>の言<ruby>こと</ruby>葉<ruby>ば</ruby>に翻<ruby>ほん</ruby>訳<ruby>やく</ruby>されています …	83	会話 27	練習問題 28
37	面<ruby>おも</ruby>白<ruby>しろ</ruby>そうですね …………………………	89	会話 29	練習問題 30
まとめ 7	………………………………………	95		
38	猿<ruby>さる</ruby>に注<ruby>ちゅう</ruby>意<ruby>い</ruby>しろという意<ruby>い</ruby>味<ruby>み</ruby>です ……	97	会話 31	練習問題 32
39	旅<ruby>りょ</ruby>行<ruby>こう</ruby>のとき使<ruby>つか</ruby>おうと思<ruby>おも</ruby>って買<ruby>か</ruby>ったのに……	103	会話 33	練習問題 34
40	息<ruby>むすこ</ruby>子を塾<ruby>じゅく</ruby>に行<ruby>い</ruby>かせたいんですが……	109	会話 35	練習問題 36
41	大<ruby>だい</ruby>学<ruby>がく</ruby>院<ruby>いん</ruby>で医<ruby>い</ruby>学<ruby>がく</ruby>を研<ruby>けん</ruby>究<ruby>きゅう</ruby>なさいました ………	115	会話 37	練習問題 38
42	10年<ruby>ねん</ruby>前<ruby>まえ</ruby>に日<ruby>に</ruby>本<ruby>ほん</ruby>へ参<ruby>まい</ruby>りました ……	121	会話 39	練習問題 40
まとめ 8	………………………………………	127		

巻末<ruby>かんまつ</ruby>

1. 資<ruby>し</ruby>料<ruby>りょう</ruby> …………………………………………… 130
2. 索<ruby>さく</ruby>引<ruby>いん</ruby> …………………………………………… 138
3. 学<ruby>がく</ruby>習<ruby>しゅう</ruby>項<ruby>こう</ruby>目<ruby>もく</ruby>一<ruby>いち</ruby>覧<ruby>らん</ruby> ………………………………… 172
4. インフォメーションギャップとロールプレイ ……………………… 180

別<ruby>べっ</ruby>冊<ruby>さつ</ruby>解<ruby>かい</ruby>答<ruby>とう</ruby>

補助教材コンテンツ無料ダウンロード　https://www.3anet.co.jp/np/books/3250/

『大地』シリーズの教師用資料、語彙訳を掲載

初級 ❶ 目次

はじめましょう

1 わたしは リン・タイです
2 それは なんの CD ですか
3 ここは ゆりだいがくです
4 あした何をしますか
5 シドニーは今何時ですか
6 京都へ行きます

まとめ 1

7 きれいな写真ですね
8 富士山はどこにありますか
9 どんなスポーツが好きですか
10 わたしは渡辺さんにお茶を習いました
11 東京とソウルとどちらが寒いですか
12 旅行はどうでしたか

まとめ 2

13 何か食べたいですね
14 わたしの趣味は音楽を聞くことです
15 今ほかの人が使っています
16 ちょっと触ってもいいですか
17 あまり無理をしないでください
18 相撲を見たことがありません

まとめ 3

19 駅は明るくて、きれいだと思います
20 これは彼女にもらったTシャツです
21 雨が降ったら、ツアーは中止です
22 食事を作ってくれました

まとめ 4

お使いになる先生方へ

Ⅰ．本書の目指すもの

　　本書は成人学習者を対象にした日本語初級テキストです。文法・文型の基礎固めはもちろん、運用力養成、つまり学習者が「使える」ようになることを目指しています。

　　学習者が自分で考え、自ら発信できるようになることを期待しています。

Ⅱ．本書の特徴

1．イラストの多用

　　日本語が使われる状況や場面を可能な限りイラストで表し、学習者が状況や場面をイメージしやすいように配慮しました。代入練習の代入肢などもイラストで表してあるため、意味をしっかりと認識しながら口頭練習を行うことができます。

2．練習問題の多様性

　　基本的なドリルのほかに、インフォメーションギャップ、インタビューとその発表、スピーチ、ロールプレイ、ストーリーテリング、読解、作文など多様なタスクを数多く取り入れました。したがって、本書1冊で運用力をつける練習までを行うことが十分可能です。

　　内容の面でも、日本の文化・社会・生活情報に触れる練習を意識的に取り入れました。

3．練習問題の特徴

1）場面を重視し、必然性のある発話ができるように配慮しました。
2）普通体と丁寧体を生活の中で自然に使い分けられるように、違いを認識させる練習を多く入れました。縮約形も積極的に取り入れ、「実際の生活の中で聞く日本語」と「教室内の日本語」のギャップをうめるようにしました。
3）すべての課の終わりには「使いましょう」を設け、既習文型を組み合わせた複合的な練習ができるようにしました。まとまりのある文の読み書きや発表などを通じて、自分のことを自分の言葉で発信できるような仕組みとなっています。

4．文型・語彙

1）本書の学習により、基本的な文型67、語彙約800語の習得が可能です。
2）語彙については日常生活で使用頻度が高く、汎用性のあるものを使用するよう心がけました。
3）成人学習者が日常生活を営む上で必要と思われる抽象的な語彙を使用しています。

5．表記

1）日常目に触れる日本語を学習させるという視点から、常用漢字を使用した漢字仮名交じり文にしました。ただし、学習者の利便性を考慮して漢字にはすべてルビを付けました。
2）各課2ページ目の一部・イラスト中の一部の文字・および活用表は仮名表記としました。

Ⅲ．使い方

1．留意点

1）イラストについて
練習するまえにイラストの中の語彙を確認してください。イラストを見て答える問題では答えは一つとは限りません。学習者の豊かなイマジネーションを尊重してください。別冊の解答を参照してください。

2）自由解答（　　　）について
学習者の自由な解答を期待して、練習の随所に（　　　）を使いました。ぜひ学習者の自発的な発話を促すようにしてください。

3）インフォメーションギャップとロールプレイの練習について
マークのあるものはインフォメーションギャップを利用した練習で、マークはロールプレイの練習です。インフォメーションギャップは練習用シートのうち1枚が本文該当ページにあり、もう1枚が巻末にあります。学習者をペアにして別々のページを見せて練習を行ってください。

4）練習の確認について
口頭練習だけでは正確に知識が定着しているか判断が難しいので、練習の最後には書かせるようにしてください。

5）読解と作文について
練習問題には随所に短い読解文を入れました。そのテーマを使って作文

につなげることもできます。

2. 標準所要時間

　1課当たり5から6時間程度、本書を終えるのに100から120時間を目安としてください。

3. 授業展開例

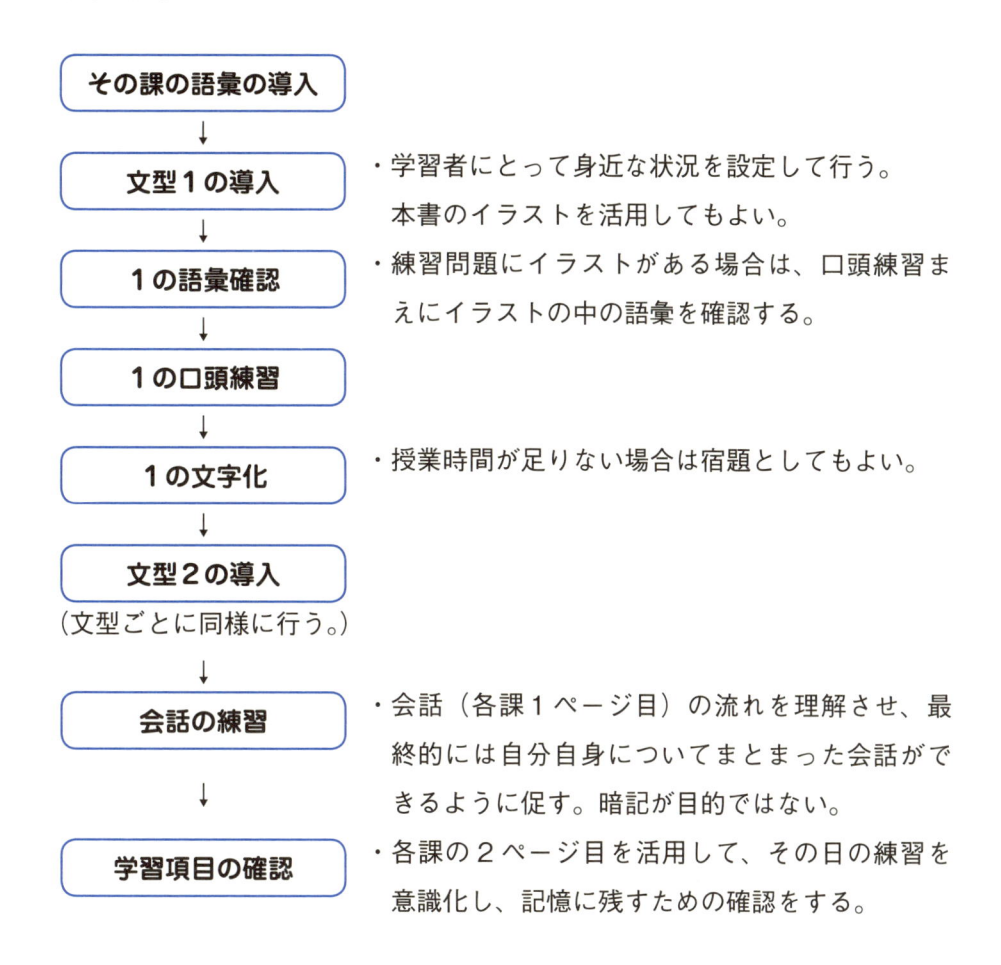

```
┌─────────────────┐
│  その課の語彙の導入  │
└─────────────────┘
        ↓
┌─────────────────┐      ・学習者にとって身近な状況を設定して行う。
│    文型1の導入    │        本書のイラストを活用してもよい。
└─────────────────┘
        ↓
┌─────────────────┐      ・練習問題にイラストがある場合は、口頭練習ま
│    1の語彙確認    │        えにイラストの中の語彙を確認する。
└─────────────────┘
        ↓
┌─────────────────┐
│    1の口頭練習    │
└─────────────────┘
        ↓
┌─────────────────┐      ・授業時間が足りない場合は宿題としてもよい。
│    1の文字化     │
└─────────────────┘
        ↓
┌─────────────────┐
│    文型2の導入    │
└─────────────────┘
（文型ごとに同様に行う。）
        ↓
┌─────────────────┐      ・会話（各課1ページ目）の流れを理解させ、最
│    会話の練習     │        終的には自分自身についてまとまった会話がで
└─────────────────┘        きるように促す。暗記が目的ではない。
        ↓
┌─────────────────┐      ・各課の2ページ目を活用して、その日の練習を
│   学習項目の確認   │        意識化し、記憶に残すための確認をする。
└─────────────────┘
```

4. 周辺教材について

　以下の教材について発行が予定されています。本書と併せて、それぞれの機関の学習時間やコースに合わせて活用してください。

　1）『文型説明と翻訳』
　　　課ごとに「会話」「語彙」の翻訳、「文型説明」、「言葉と文化情報」があります。
　2）『基礎問題集』
　　　本書の学習項目・語彙に準拠した各課対応の問題集です。

本書の構成

カバーの裏	動詞の形
見返し	世界地図（産物、製品）
23―42課	
まとめ5―8	その課までの学習項目のまとめの問題
巻末	1．資料
	数え方（助数詞の表）、単位、い形容詞・な形容詞・名詞の形、普通形を使う文型、いろいろな文型の普通形、友達の会話、他動詞・自動詞
	2．索引
	3．学習項目一覧（初級1と初級2）
	4．インフォメーションギャップとロールプレイ
別冊解答	各課の練習問題の解答
CD	会話と練習問題の例を収録

各課の構成

P.1　会話　　　　その課の学習項目を使った会話。

P.2　文型提示　　該当課の学習項目の提示。文の構造が分かりやすいように図式化。
　　　　　　　　各番号に対応する練習問題がある。ただし、下の「①②③」の数字
　　　　　　　　が付いた例文にはその項目だけに対応する練習問題はない。

P.3 以降

練習問題　　　　P.2 の文型に対応した練習問題。1-1、1-2 は 2 ページ目の文型 1 の
　　　　　　　　練習問題であることを示す。練習問題は基本練習・運用練習の順に
　　　　　　　　配した。紙面の都合で基本練習だけの文型もある。

友達の会話　　　主に普通体を紹介するための練習問題で、相手の年齢、親疎や社会
　　　　　　　　的地位を意識したものも含む。

使いましょう　　既習学習項目を含めた総合的な練習。

凡例

Ⅰ．記号の意味

1．文型ページ

1) [　　] 文中に例を2つ以上提示していることを表す。
直接活用にかかわる部分のみ仮名表記（名詞は漢字）。

2) 青字　文型のポイントを表す。

例）うちの息子は [あるける / はなせる] ようになりました。

3) ＊　活用に例外がある語を表す。

2．練習問題の記号

1) (　　)　自由解答部分を表す。

2) ＿＿＿＿　イラストや文字で指定された代入部分を表す。

3) 　A　　会話の流れが2種類想定される場合は B1 B2 などと表す。
　はい　いいえ
　B1　B2

4) ／　同じ意味で別の言い方がある場合に用いる。

例）はい、学生です。／はい、そうです。

5) 🎤　インタビューのタスクであることを表す。

6) 📖❓　インフォメーションギャップを使用したタスクであることを表す。ペアの学習者が、異なる情報を持ってお互いに相手の情報について聞く練習。ペアの一方の情報は巻末にある。

7) 👥 A B　ロールプレイのタスクであることを表す。

8) 👤　発表のタスクであることを表す。

9) ✏️　書くタスクであることを表す。

10) 👥　友達同士の会話であることを表す。

11) 💬　話している内容を表す。

12) 📄　書かれたものであることを表す。

13) ⬆️　上の練習問題のイラストを参照して答える問題であることを表す。

14) ▭　選択肢であることを表す。

(6)

Ⅱ．文法用語

本書では以下の文法用語を使用した。

名詞・動詞・形容詞・い形容詞・な形容詞（活用表の中ではそれぞれ、名・動・い形・な形と表す。）

ます形・辞書形・て形・ない形・た形・丁寧形・普通形・可能形・意向形・条件形・受身形・命令形・禁止形・使役形・尊敬形・尊敬動詞・謙譲動詞・他動詞・自動詞

登場人物
とうじょうじんぶつ

学生
がくせい

キム・ヘジョン
（韓国）
かんこく

ポン・チャチャイ
（タイ）

トム・ジョーダン
（カナダ）

マリー・スミス
（オーストラリア）

リン・タイ
（中国）
ちゅうごく

スバル日本語学校
にほんごがっこう

先生　事務員

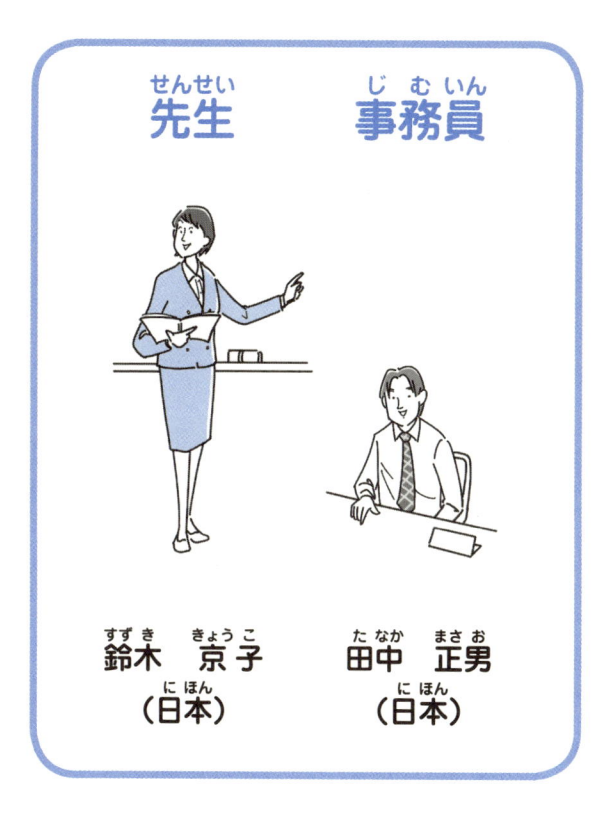

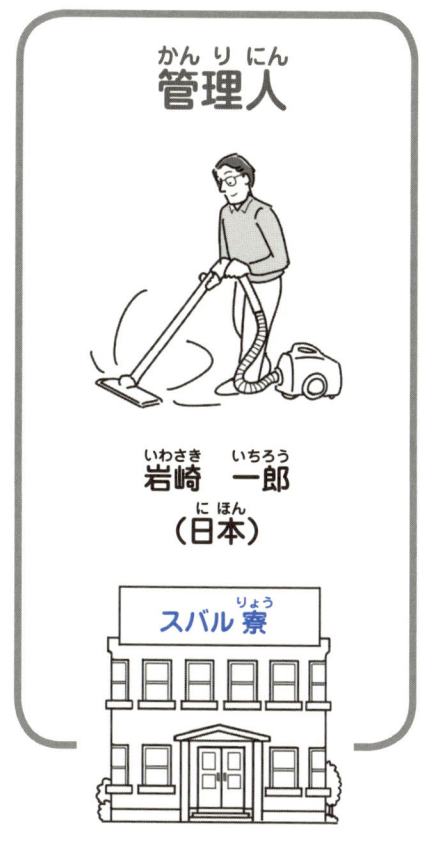

鈴木　京子
（日本）

田中　正男
（日本）

管理人

岩崎　一郎
（日本）

スバル寮

木村　春江
（日本）

木村　洋
（日本）

渡辺　あき
（日本）

レ・ティ・アン
（ベトナム・エンジニア）

アラン・マレ
（フランス・銀行員）

ホセ・カルロス
（ペルー・会社員）

23

橋を渡ると、左に公園があります

CD-01

木村：アランさん、久しぶりですね。
マレ：あ、木村さん、お元気ですか。実は僕、先日引っ越ししました。
　　　この近くの新しいアパートです。
木村：そうですか。どこですか。
マレ：西町１丁目です。この道をまっすぐ行って、橋を渡ると、左に公園
　　　があります。僕のアパートはその隣です。
木村：新しい部屋は気持ちがいいでしょう。
マレ：はい。朝は鳥の声が聞こえます。
　　　それに、窓から公園の桜も見えます。
木村：いいですね。
マレ：やっと部屋がきれいになりましたから、遊びに来てください。
木村：ありがとうございます。

23

1. $\begin{bmatrix} くらく \\ しずかに \\ よるに \end{bmatrix}$ なります。

2. $\begin{bmatrix} この ボタンを おす \\ 春に　　　　　なる \\ まっすぐ　　　　いく \end{bmatrix}$ と、$\begin{bmatrix} お茶が出ます。 \\ 桜の花が咲きます。 \\ 右に郵便局があります。 \end{bmatrix}$

3. $\begin{bmatrix} ジュースを かって \\ 　　　　　コピーして \end{bmatrix}$ 来ます。

....

① 新しい部屋は気持ちがいいでしょう。
② 左に公園があります。僕のアパートはその隣です。
③ シンガポールには季節が2つあります。
④ いちばんいい季節は11月ごろです。
　いろいろな果物がおいしくなるからです。

1-1. 例1) 安くなりました。
例2) 上手になりました。
例3) 夜になりました。

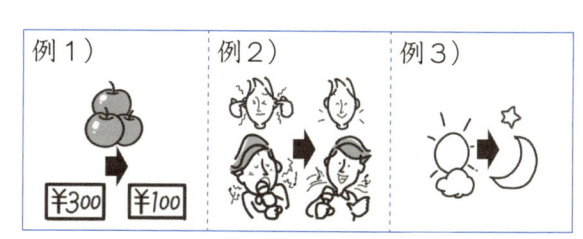

1-2. 人が多くなりました。

例) 人　1) ビル　2) らくだ　3) 町
4) 木　5) 湖　6) 交通　7) (　　　)

1-3. リサイクル工場

切符や定期券などはベンチになります。

例) 切符や定期券など　・　　・トイレットペーパー
1) ペットボトル　　　・　　・道路を作る材料
2) 天ぷら油　　　　　・　　・石けん
3) 牛乳パック　　　　・　　・服やカーペット
4) 瓶　　　　　　　　・　　・ベンチ

2-1. ドアを開けると、ふたが開きます。

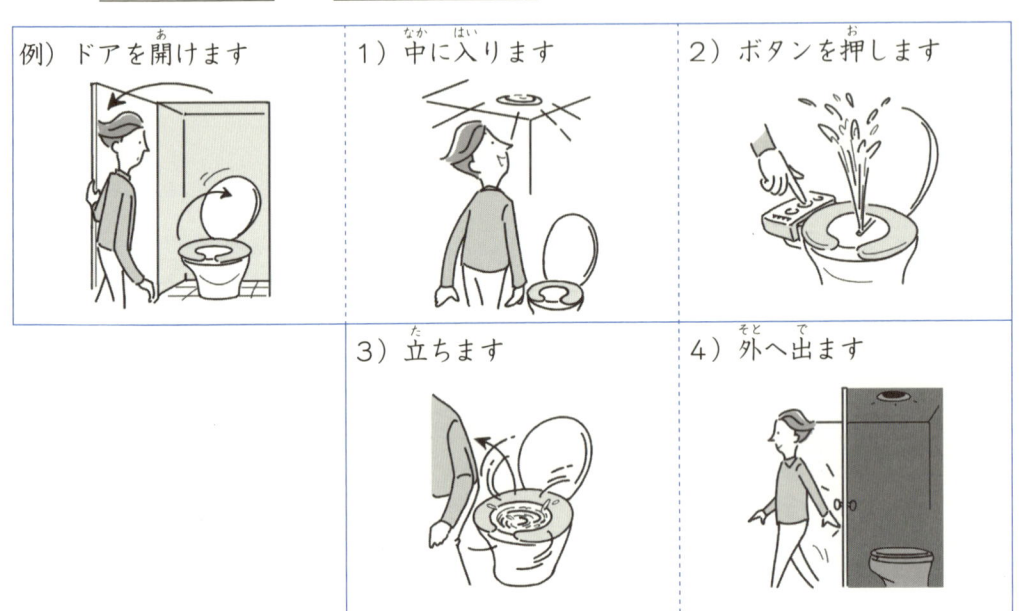

例) ドアを開けます
1) 中に入ります
2) ボタンを押します
3) 立ちます
4) 外へ出ます

2-2. (春になる)と、桜の花が咲きます。

1) (　　　　　　　　) と、頭が痛くなります。
2) (　　　　　　　　) と、体が丈夫になります。
3) (　　　　　　　　) と、うれしいです。

2-3. まっすぐ行くと、右に郵便局があります。

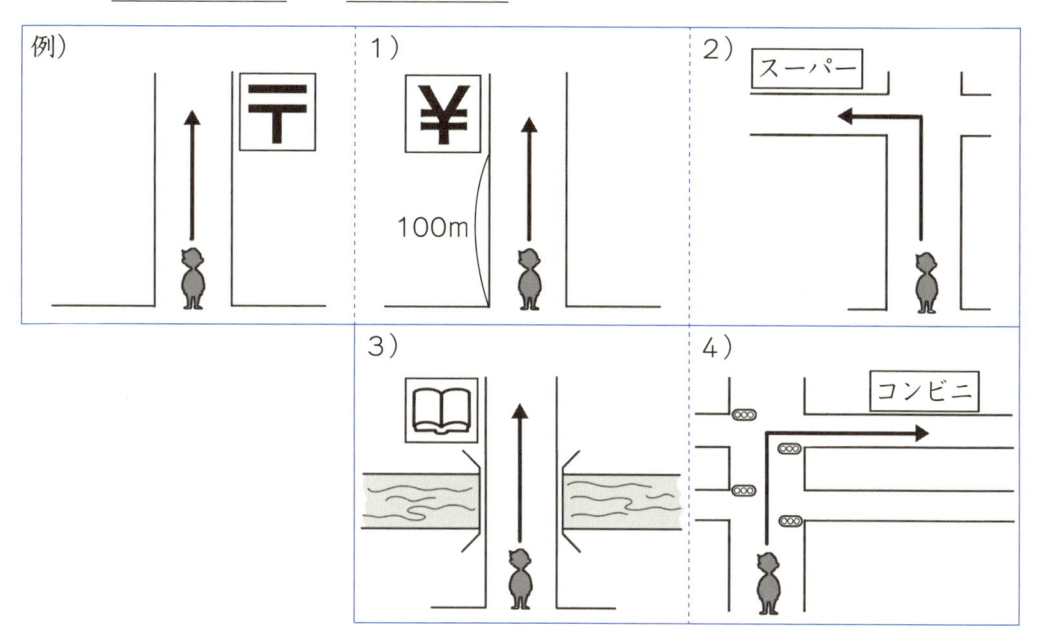

例）　1）　2）
3）　4）

2-4. 📖 P.180

A：すみません。サミット銀行へ行きたいんですが。
B：サミット銀行ですか。
A：はい。
B：あの交差点を渡って、少し行くと、右にありますよ。
A：そうですか。ありがとうございます。

例）サミット銀行　　1）市役所　　2）公園

3. A：すみません。ちょっと切符を買って来ますから、
　　　ここで待っていてください。
　　B：分かりました。

使いましょう

　これから、わたしの国、シンガポールについて紹介します。シンガポールには季節が2つあります。雨季と乾季です。10月になると雨季が始まります。3月になると、雨季が終わって、天気がよくなります。乾季は9月ごろまで続きます。いちばんいい季節は11月ごろです。いろいろな果物がおいしくなるからです。
　ぜひ遊びに来てください。

　これから、わたしの国、＿＿＿＿＿＿について紹介します。＿＿＿＿＿＿には季節が＿＿＿＿＿＿あります。＿＿＿＿月になると、＿＿＿＿＿＿＿＿＿＿＿＿＿＿＿＿＿＿。いちばんいい季節は＿＿＿＿＿＿＿です。ぜひ遊びに来てください。

24 この動物園は夜でも入れます

CD-03

リン：あれ、この動物は全然動きませんね。

木村：ええ、昼間は寝ていますが、夜はとてもよく動きますよ。

リン：へえ。よくご存じですね。

木村：わたしは動物が大好きで、この動物園によく来ますから。

リン：そうですか。でも、昼間のようすしか見られないでしょう。

木村：この動物園は去年から夜でも入れるようになりましたから、夜来ると、面白いですよ。

リン：じゃ、今度、夜来ます。

木村：中国にもこんな動物園がありますか。

リン：さあ。

1.

	辞書形	可能形		辞書形	可能形
I	かう	かえる	II	たべる	たべられる
	かく	かける		ねる	ねられる
	およぐ	およげる		おきる	おきられる
	はなす	はなせる		かりる	かりられる
	まつ	まてる			
	しぬ	しねる	III	くる	こられる
	あそぶ	あそべる		する	できる
	よむ	よめる			
	とる	とれる			

2. マリーさんは漢字が ［ かけます。 ／ よめます。 ］

図書館で本が ［ かりられます。 ／ よやくできます。 ］

3. うちの息子は ［ あるける ／ はなせる ］ ようになりました。

4. 祖父は ［ 長い 時間 あるけ ／ 小さい 字が よめ ］ なくなりました。

① 現金しか使えません。
② 昼間は寝ていますが、夜はよく動きます。
③ 中国にもこんな動物園がありますか。

CD-04

1. 例）食べる→食べられる
1）教える　2）走る　3）立つ　4）来る　5）借りる
6）運転する　7）飲む　8）会う　9）遊ぶ　10）下ろす

2-1. マリーさんはバイオリンが弾けます。
例）バイオリンを弾く
1）5か国語を話す
2）片手で卵を割る
3）トラックを運転する
4）どこででも寝る
5）1キロ泳ぐ

2-2. （Bさんはハンバーガーが10個食べられる）と思います。

2-3. A：携帯電話で何ができますか。
　　　B：（音楽がダウンロードできます。
　　　　それに計算もできます。）

	携帯電話	音楽	計算
例）（ B ）さん	携帯電話	音楽	計算
1）（　）さん	コンビニ		
2）（　）さん	海		
3）（　）さん	（　　　）		

24

2-4. P.181

A：お相撲さんに会えるところへ行きたいんですが……。
B：両国のツアーはいかがですか。お相撲さんに会えますよ。

地図：ながの、ひめじ、りょうごく、なは、しもだ、かまくら

例)（両国）
1)（　　）
2)（　　）
3)（　　）
4)（　　）
5)（　　）

2-5. A：カードが使えますか。
B：いいえ、現金しか使えません。

1) いつでも？ 夜　チケット
2) 大人でも？ 子供
3) 3人？ 2人
4) 小さい子供でも？ 120センチ以上の人

2-6.

A：この図書館、雑誌、5冊借りられる？
B：うん。借りられるよ。
例）雑誌を5冊借りる
1）パソコンで本を探す　2）インターネットで論文を調べる
3）本を予約する　4）新しい本を買ってもらう　5）（　　　　）

3. うちの息子は歩けるようになりました。

わたしは（5歳の）とき、（10メートル泳げる）ようになりました。

4-1. けがをして、試合に出られなくなりました。

例）　1）　2）　3）　4）　5）（　　）

4-2.

日本へ来て、何ができるようになりましたか。
何ができなくなりましたか。

(料理ができる)ようになりました。

(恋人に会え)なくなりました。

使いましょう

A：あなたはキャンプ場を経営しています。インタビューシートを見て、Bさんの面接をしてください。

B：あなたはキャンプ場で働きたいと思っています。面接を受けてください。

例)キャンプ場　　1)保育園　　2)会社

インタビューシート			
① 名前		⑥ ここで働きたい理由	
② 国籍		⑦ できること	
③ 年齢	歳	ア.	○・×
④ アルバイトの許可証	ある・ない	イ.	○・×
⑤ この仕事の経験	ある・ない	ウ.	○・×

できること：川で泳ぐ・パソコン・車の運転・歌・絵・ダンス・きれいな字・折り紙・日曜日働く・木に登る・重いものを運ぶ

わたしはBさんを採用(します・しません)。
(　　　　　　)から。

25 何をやるか、もう決めましたか

CD-05

田中：もうすぐ文化祭ですね。

キムさんのクラスは何をやるか、もう決めましたか。

キム：ええ。みんなでミュージカルをやります。

田中：いいですね。どんなミュージカルですか。

キム：秘密です。どんなミュージカルか、楽しみにしていてください。

田中：ええ、必ず見に行きますよ。

キム：でも、あまり時間がないので、歌が覚えられるかどうか、ちょっと心配です。

田中：大丈夫ですよ。頑張ってください。

キム：ありがとうございます。

25

1. 彼は ［ユーモアが　　　ある　］ので、人気があります。
　　　　　　　　おもしろい
　　　　　ギターが　じょうずな
　　　　　　　　どくしんな

動詞	みる みない みた みなかった	ので	な形容詞	ひまな ひまじゃない ひまだった ひまじゃなかった	ので
い形容詞	たかい たかくない たかかった たかくなかった	ので	名詞	あめな あめじゃない あめだった あめじゃなかった	ので

2. ［試験は　何時に　はじまる　］か、教えてください。
　　　どの　先生が　　きびしい
　　　何が　　　　　　ひつよう
　　　いつが　　　　　しめきり

3. ［ツアーに　　　　　いく　　］かどうか、確認します。
　　　ツアーに　もうしこんだ
　　　海が　見える　　へや

4. まだレポートを［だして］いません。
　　A　：もうレポートを出しましたか。
　　B１：はい、もう出しました。
　　B２：いいえ、まだ出していません。

① みんなでミュージカルをやります。
　　まだ決めてない。

CD-06

1-1. Bさんはかっこいいので、人気があります。

例) かっこいいです
1) 声がきれいです
2) 歌が上手です
3) 詩が書けます
4) 曲が作れます
5) ユーモアがあります
6) 独身です
7) (　　　　　　　)

1-2. (残業した) ので、疲れました。

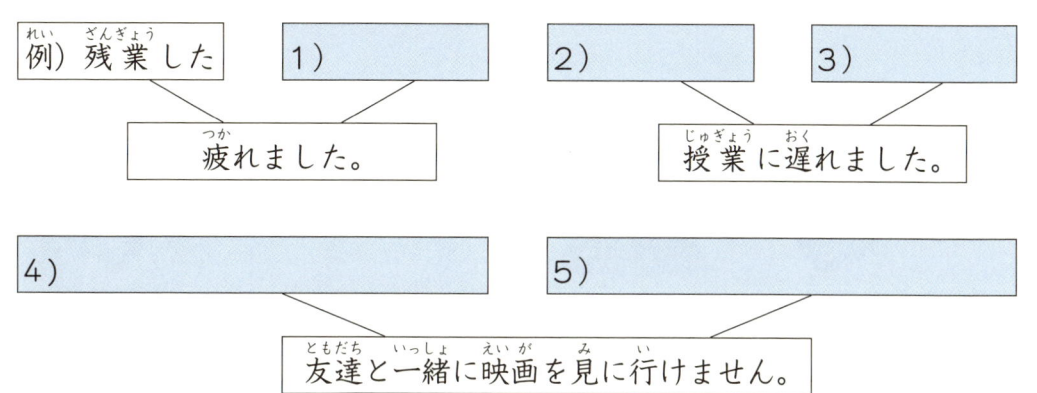

| 例) 残業した | 1) | 2) | 3) |

疲れました。　　　　授業に遅れました。

| 4) | 5) |

友達と一緒に映画を見に行けません。

2-1. どこがいいか、調べます。

例) どこがいいですか
1) 何時に京都に着きますか
2) 何時間かかりますか
3) ホテルは1泊いくらですか
4) どのレストランが安くておいしいですか

2-2. 何を書くか、考えました。

　　　例）何を書きますか

　　　　1）どんなデータが必要ですか

　　　　2）どうやってデータを集めますか

　　　　3）どの資料を使いますか

　　　　4）いつが締め切りですか

考えました
決めました
先生に聞きました

ろんぶん

3-1. A：犯人は眼鏡を掛けていましたか。

　　　B：さあ、眼鏡を掛けていたかどうか、分かりません。

　　　例）眼鏡を掛けていました

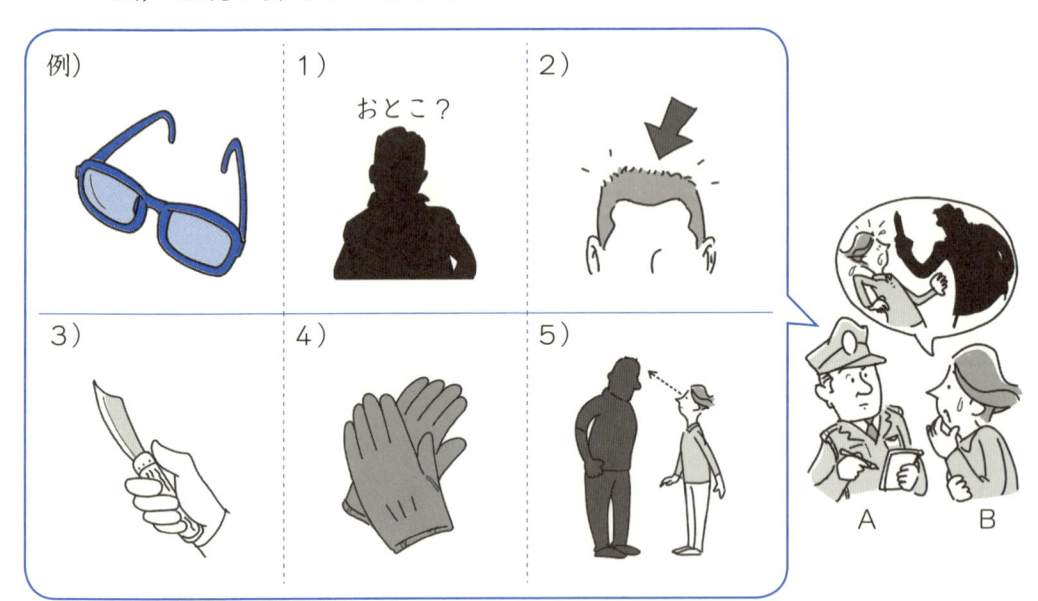

例）
1）おとこ？
2）
3）
4）
5）

A　B

3-2.

例1) A1：このバスはみどり町へ行きますか。
　　　B1：さあ、行くかどうか、分かりません。あの人に聞いてください。

例2) A2：バスは何時に出ますか。
　　　B2：さあ、何時に出るか、分かりません。あの人に聞いてください。

例1) このバスはみどり町へ行きます
例2) バスは何時に出ます

1) このカードが使えます
2) みどり町までどのぐらいかかります
3) 市民センターはバス停から近いです
4) みどり町はいくつ目のバス停です

4-1.

もうテーマを決めましたか。

いいえ、まだ決めていません。これから決めます。

例) テーマを決める
1) 資料を集める
2) レポートを書く
3) レポートを出す
4) 発表の準備をする

4-2.

もうテーマ、決めた？

ううん、まだ決めてない。これから決めるつもり。

使いましょう 1　P.182

例)

A
・あなたの自転車がパンクしました。Bさんの自転車を借りたいです。
・Bさんに頼んでください。

B
・新しい自転車を貸すかどうか決めて、答えてください。

A：(B)さん、(自転車を持っています)か。
B：(はい、昨日買いました。)
A：実は自転車がパンクしたので、貸してくださいませんか。

B1：いいですよ。

B2：すみません。(これから使う)ので……。

使いましょう 2　部屋を探す

☐ 部屋　☐ 駐車場　☐ 家賃
☐ 駅　☐ 日当たり
☐ コンビニ　☐ ペット

A：わたしは(子供がいる)ので、(家賃が高くても広い)アパートを探しています。
B：そうですか。わたしは(犬を飼っている)ので、(ペットを飼ってもいい)アパートを探しています。
A：ほかにどんなことを確認しますか。
B：わたしは(駅からどのぐらいかかるか)、確認します。(A)さんは？
A：わたしは(日当たりがいいかどうか)、確認します。

26 サッカーの合宿に参加したとき、もらいました

CD-07

渡辺　　：ホセさん、これから試合ですか。

カルロス：ええ。

渡辺　　：そのボールは？

カルロス：これはわたしの宝物です。
　　　　　5年前にサッカーの合宿に参加したとき、プロの選手にもらいました。

渡辺　　：そうですか。

カルロス：試合に出るとき、いつも持って行きます。
　　　　　よかったら、見に来ませんか。

渡辺　　：すみません。
　　　　　今日は空港へ友達を迎えに行かなければならないので……。

カルロス：じゃ、今度見に来てくださいね。

渡辺　　：ええ。ぜひ！

26

1. ［さむい／ひまな／こどもの］とき、［セーターを着ます。／遊びに行きましょう。／野菜が嫌いでした。］

   ［手紙を かく／言葉が わからない］とき、辞書を使います。

2. ［国へ かえる／国へ かえった］とき、［両親にお土産を買います。／両親にお土産をあげます。］

3. ［日本語で レポートを かか／毎日 べんきょうし］なければなりません。

....

👥 ご飯、作らなきゃ。

1-1. 暑いとき、(泳ぎに行きます)。

例) 暑いです
1) 寂しいです
2) 頭が痛いです
3) 暇です
4) ラッシュアワーです
5) デートです

1-2. 定期を買うとき、学生証が要ります。

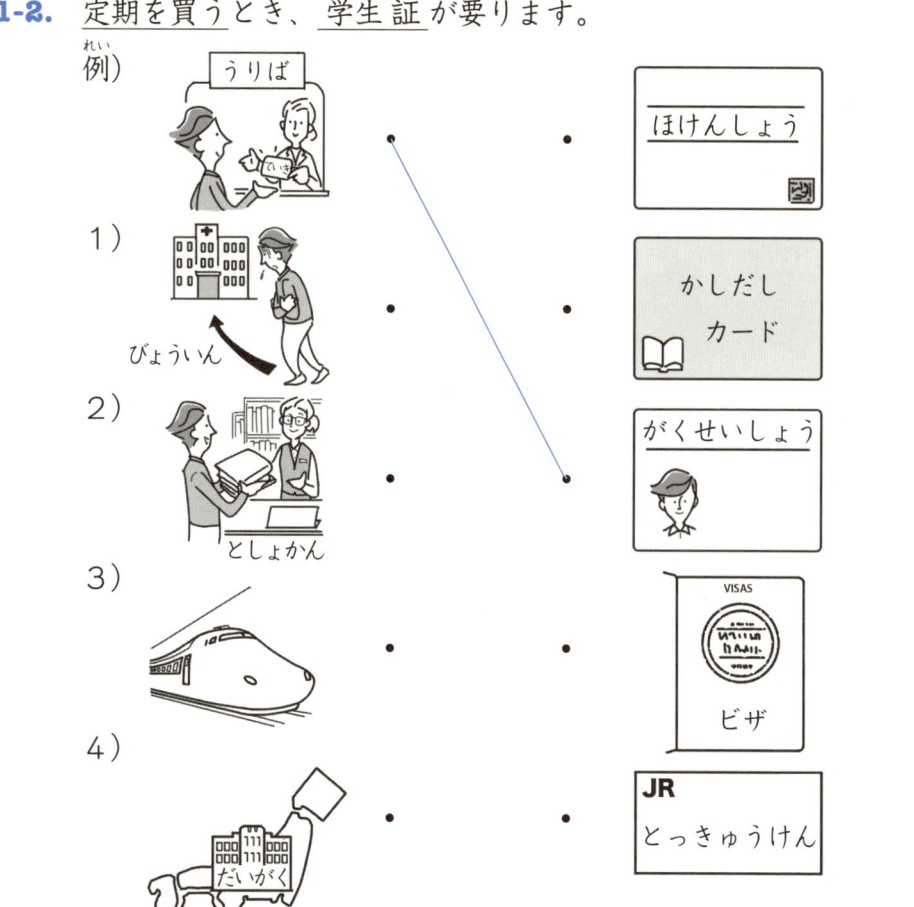

例) うりば — がくせいしょう
1) びょういん
2) としょかん
3) (新幹線)
4) だいがく

- ほけんしょう
- かしだしカード
- がくせいしょう
- ビザ
- JR とっきゅうけん

1-3. A：このカメラはいかがですか。新製品ですよ。

B：そうですね。
電源を入れるとき、どうしますか。

A：このボタンを押します。

例）電源を入れます

1）セルフタイマーを使います　　2）充電します
3）フラッシュを使いません　　4）動画を撮ります
5）日付を入れません

2-1. 例1）広島へ行くとき、ガイドブックを買いました。
例2）広島へ行ったとき、原爆ドームを見ました。

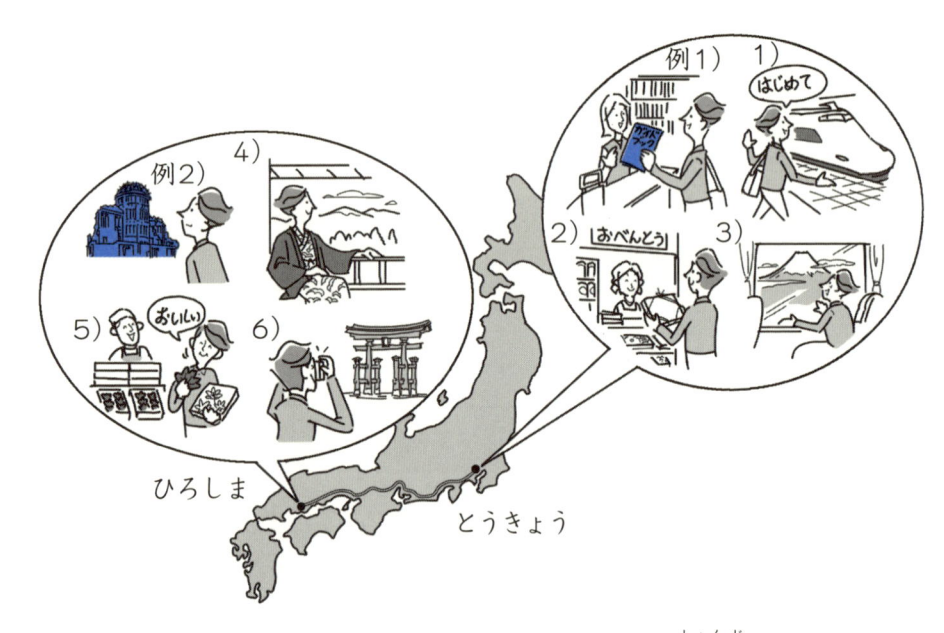

2-2. 🎤 A：（B）さん、どんなときレストランで食事しますか。
B：（友達が来た）とき、食事します。

例）（ B ）さん	友達が来たとき、レストランで食事します。
1）（　）さん	とき、学校を休みます。
2）（　）さん	とき、泣きたくなります。
3）（　）さん	とき、ストレスを感じます。
4）（　）さん	とき、うれしいです。

3-1. 食べる→食べなければなりません
1）覚える　2）払う　3）出す　4）働く　5）来る　6）する

3-2. サミット社では毎日トイレの掃除をしなければなりません。
例）毎日トイレの掃除をする
1）制服を着る
2）毎朝会社の歌を歌う
3）社長の長い話を聞く
4）残業をするとき、許可をもらう
5）毎日報告書を書く

3-3. P.183
A：（B）さん、1日暇だったら、映画を見に行きませんか。
B：すみません。1日は先生に会わなければならないので……。
A：じゃ、6日はどうですか。
B：すみません。学会に出席しなければなりません。
A：そうですか。じゃ、また今度。

Aのスケジュール

例）			
5/1	月		
5/2	火	アンケート調査をする
5/3	水	
5/4	木	調査結果をまとめる
5/5	金	発表する
5/6	土	

3-4. あ、もう5時だ。ご飯、作らなきゃ。
例）ご飯を作る　1）買い物に行く
2）うちへ帰る　3）(　　　　　)

使いましょう

A：（B）さんの国では<u>レストランでチップを渡</u>さなければなりませんか。

→ はい
B1：はい、<u>渡</u>さなければなりません。

→ いいえ
B2：いいえ、<u>渡</u>さなくてもいいです。

質問	（　）さん	（　）さん
例）レストランでチップを渡す	○	×
1）小学生は英語を勉強する		
2）身分証明書をいつも持っている		
3）うちに上がるとき、靴を脱ぐ		
4）テレビを捨てるとき、お金を払う		

B2さんはレストランでチップを渡さなくてもいいと言いました。わたしの国では渡さなければなりません。チップはだいたい10パーセントぐらいです。

（　　）さんは＿＿＿＿＿＿＿＿＿＿と言いました。
わたしの国＿＿＿＿＿＿＿＿＿＿＿＿＿。

27 いつから熱があるんですか

田中　：はい、スバル日本語学校です。

スミス：もしもし、マリーです。

田中　：あ、マリーさん、どうしたんですか。

スミス：熱があるので、今日休みたいんですが、先生にそう伝えていただけませんか。

田中　：熱ですか。それはいけませんね。いつから熱があるんですか。

スミス：おとといの夕方からです。

田中　：病院へ行きましたか。

スミス：いいえ。寝たら治ると思ったんですが、なかなか治りません。

田中　：そうですか。今日は必ず病院へ行ってください。

スミス：はい、分かりました。

田中　：じゃ、先生に伝えますね。お大事に。

27

1. A ：どうしたんですか。
   B１：[風邪を ひいた]んです。
   B２：[アレルギーな]

   A：いつ国へ帰るんですか。
   B：夏休みです。／夏休みに帰ります。

2. 来週[出張する / 出張な]んですが、いいホテルを教えてください。

3. [テレビをみ / アルバイトをし]ながら[ご飯を食べます。 / 学校に通っています。]

① 何を着たらいいですか。
② 黒いスーツを着たらどうですか。
③ 同窓会に出席していただけませんか。
④ カウンセラーはどうして両親が反対していると思っていますか。
① どこへ行くの？
② うらやましいなあ。

1-1. A：どうしたんですか。
　　　B：階段で転んだんです。
　　　A：そうですか。お大事に。

1) 2) 3) 4) 5) 6)

1-2. A：どうして会議に遅れたんですか。
　　　B：(電車が止まった)んです。
　　　例) 会議に遅れました
　　　1) 引っ越ししました
　　　2) お金が必要です
　　　3) 残業しません
　　　4) 出張に行きませんでした

1-3. A：(B)さん、自分で料理を作りますか。
　　　B：いいえ、作りません。(時間がない)んです。
　　　A：そうですか。
　　　例) 自分で料理を作る
　　　1) よくカラオケに行く　　2) 夏休みに国へ帰る
　　　3) ペットを飼ったことがある　　4) 来週暇だ
　　　5) (　　　　)

27

1-4. A：<u>どこへ行くんですか。</u>
　　　 B：(海) です。
　　　 A：(いいですね)。

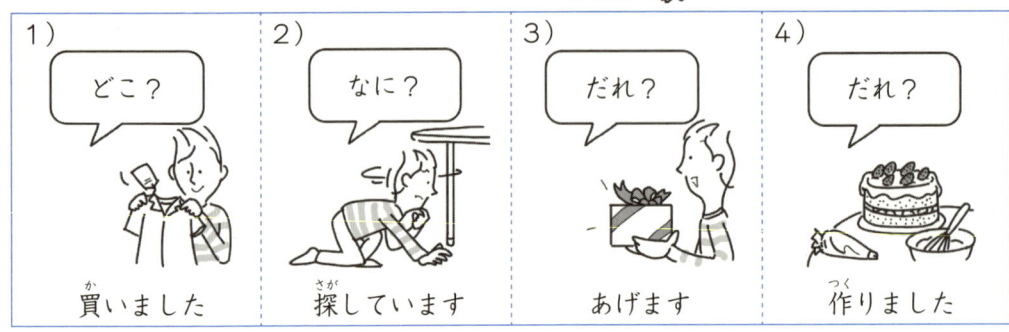

1) どこ？　買いました
2) なに？　探しています
3) だれ？　あげます
4) だれ？　作りました

1-5. A：夏休みはどうでしたか。
　　　 B：忙しかったです。アルバイトをしました。
　　　 A：そうですか。<u>どうやって</u> (探した) んですか。
　　　 B：(雑誌で探しました)。

例) どうやって
1) どこで　　　　2) どんな仕事
3) 1日に何時間　4) 何日ぐらい
5) 時給はいくら

2-1. A：(Bさん)、<u>面接があるんですが</u>、(何を着た) らいいですか。
　　　 B：そうですね。(黒いスーツを着た) らどうですか。

例) 面接があります	何を着る？	黒いスーツ
1) あしたデートです	(　　　)?	
2) お見舞いに行きます	(　　　)?	
3) 勉強のし方が分かりません	(　　　)?	

2-2. A：あのう、先生。
　　　B：はい、何ですか。
　　　A：来月同窓会をするんですが、
　　　　　出席していただけませんか。
　　　B：ええ、いいですよ。
　　　例）来月同窓会をします・出席します
　　　1）全部で50人ぐらい来ます・教室を貸します
　　　2）C先生の連絡先が分かりません・教えます
　　　3）10時に始めます・10時までに来ます
　　　4）わたしたちは先生の歌が好きです・歌います

3. テレビを見ながらご飯を食べます。

友達の会話

A：どこへ（行く）の？
B：（山）。
A：（へえ、
　　うらやましいなあ）。

例）どこ　1）何
2）何で　3）だれ　4）いつ

使いましょう

27

けんじ:
わたしは高校を卒業したら、アルバイトをしながら好きな音楽の活動をしたいと思っています。そして、将来プロになりたいです。だから、わたしは大学へ行きたくないんですが、両親は反対しています。どうしたらいいですか。

カウンセラー:
けんじさんの気持ちはよく分かります。本当に音楽が好きなんですね。でも、ご両親の気持ちも分かります。けんじさんの将来を心配しているんですよ。芸術学部がある大学がありますから、大学へ行きながら音楽の活動を続けたらどうですか。

1) けんじさんはどうして大学へ行きたくないんですか。
2) カウンセラーはどうして両親が反対していると思っていますか。
3) どんなアドバイスをしましたか。

（好きな人に好きだと言えない）んですが、どうしたらいいですか。

（ラブレターを書いたら）どうですか。

まとめ5 （23—27）

1-1.

辞書形	可能形
例) かく	かける
1) はこぶ	
2) つかう	
3) およぐ	
4) でる	
5) かりる	
6) する	
7) くる	

1-2.

丁寧形	〜んです
例) かきます	かくんです
1) よみます	
2) ありません	
3) ききました	
4) わかりませんでした	
5) いいです	
6) ひまです	
7) あめです	

2. 映画が見られます。

3. 例）ここで休めます。散歩できます。
　　　昼ご飯が食べられます。
　　　⇒公園

1) ここで本が借りられます。あまり大きい声で話せません。辞書は借りられません。⇒（　　　　）

2) ここで乗れます。ナイフを持っていないかどうか、チェックします。時々パスポートを見せなければなりません。⇒（　　　　）

3) これで聞けます。いいことも悪いことも聞けます。年を取ると、だんだん性能が悪くなります。⇒（　　　　）

4) これを使うと、遠くや近くにあるものがはっきり見えるようになります。いろいろなデザインがあります。ガラスやプラスチックのものがあります。⇒（　　　　）

5) （　　　　）（　　　　）（　　　　）⇒（　　　　）

4. 山登りを楽しむ人たちが多い。しかし、気をつけなければならないことがある。山は1,000メートル上がると、気温が6度低くなる。だから、高い山に行くとき、必ずセーターを持って行かなければならない。また、山の天気はすぐ変わるので、雨具も必要だ。登るときは苦しいが、友達と話しながら、ゆっくり歩いたらいい。下りるときは、十分気をつけて歩かなければならない。下りるときのほうがけがをする場合が多いからだ。

1) この2,500メートルの山の上は今何度ぐらいだと思いますか。
2) 山に登るとき、何を持って行かなければなりませんか。
3) 登るときと下りるときと、どちらが危ないですか。

28 空に星が出ています

CD-11

マレ　：静かですね。波の音がしますよ。
スミス：風の音もします。ほら、空にたくさん星が出ています。
マレ　：マリーさん、あそこを見てください。
スミス：あ、船が見えますね。電気がたくさんついていますよ。
マレ　：いかを取っているんです。
スミス：船の電気が小さく揺れています。ロマンチックですね。
マレ　：もう少し歩きましょうか。
スミス：ええ。

28

1. 自転車が [たおれて / こわれて] います。

2. 新聞で読んだんですが、[新しい 空港が できる / 昔 ここは 海だった] そうです。

3. 字を [おおきく / きれいに] 書いてください。

4. この牛乳は変な [あじ / におい] がします。

....

① もう少し歩きましょうか。
② 台風で橋が壊れました。
③ 調査によると、毎日小さい地震が起きているそうです。

CD-12

1-1. 店が閉まっています。

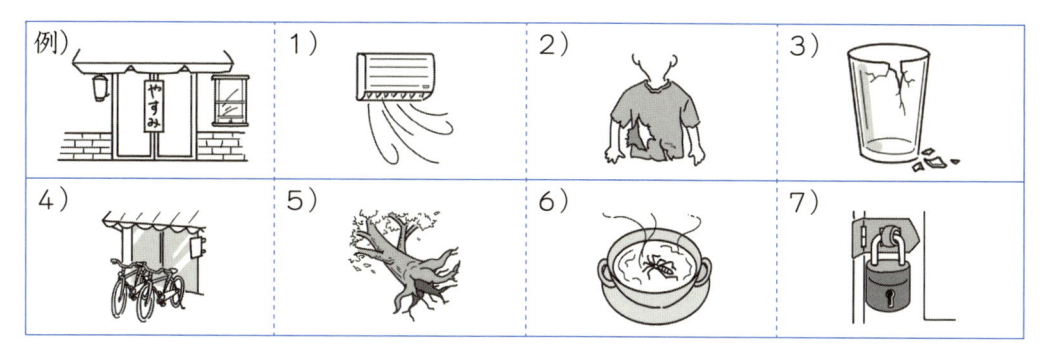

例) 1) 2) 3) 4) 5) 6) 7)

1-2. A：あれ。窓が開いている。
B：あ、カーテンも破れている。
A：すぐ警察に電話しましょう。

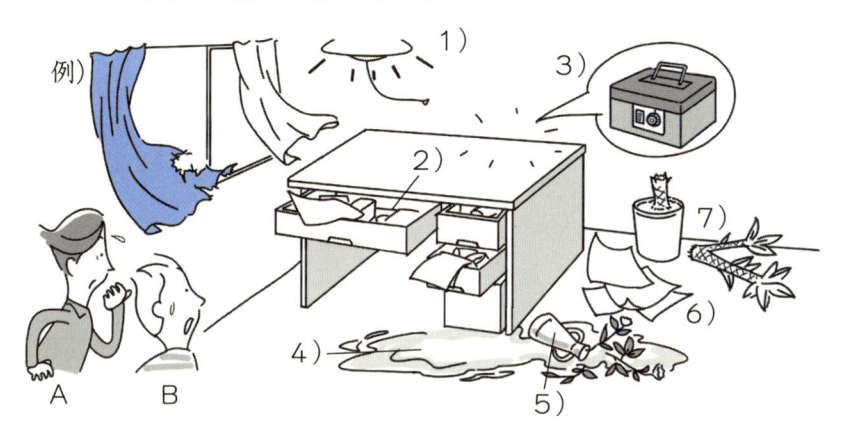

1-3. P.184

A：すみません。
　その懐中電灯を貸していただけませんか。
B：この懐中電灯は電池が切れているんですよ。
A：あ、そうですか。

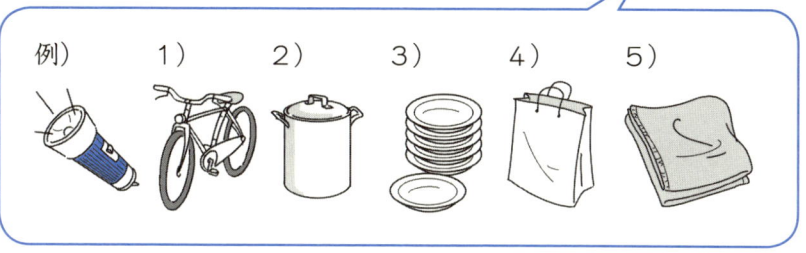

例) 1) 2) 3) 4) 5)

2-1. ニュースで見たんですが、今晩雪が降るそうです。

例) 今晩雪が降ります
1) 台風で橋が壊れました
2) 宇宙旅行のツアーがあります
3) 事故で電車が止まっています
4) 雪祭りは2月5日です
5) 新しいロボットができました
6) (　　　　　　　)

2-2. (母) に聞いたんですが、
(わたしは生まれたとき、とても大きかった) そうです。

2-3. A1：アランさんは、さっきにこにこしていましたね。
B1：ええ、(パソコンを買った) そうです。
A1：あ、だからなんですね。

パソコン・論文・プレゼント・恋人・ボーナス

A2：アランさんは、最近元気がありませんね。
B2：ええ、(新しいパソコンが壊れた) そうです。
A2：あ、だからなんですね。

3-1.　例1）強いです ——— 押す　　例1）強く押します。
　　　　例2）静かです ——— 歩く
　　　　1）速いです　・　　・説明する
　　　　2）上手です　・　　・使う
　　　　3）大切です　・
　　　　4）詳しいです・　　例2）静かに歩きます。

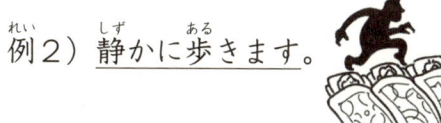

3-2.　うどんを作りましょう

A：これでいいですか。
B：うーん、もう少し丁寧に混ぜて。
A：はい、分かりました。

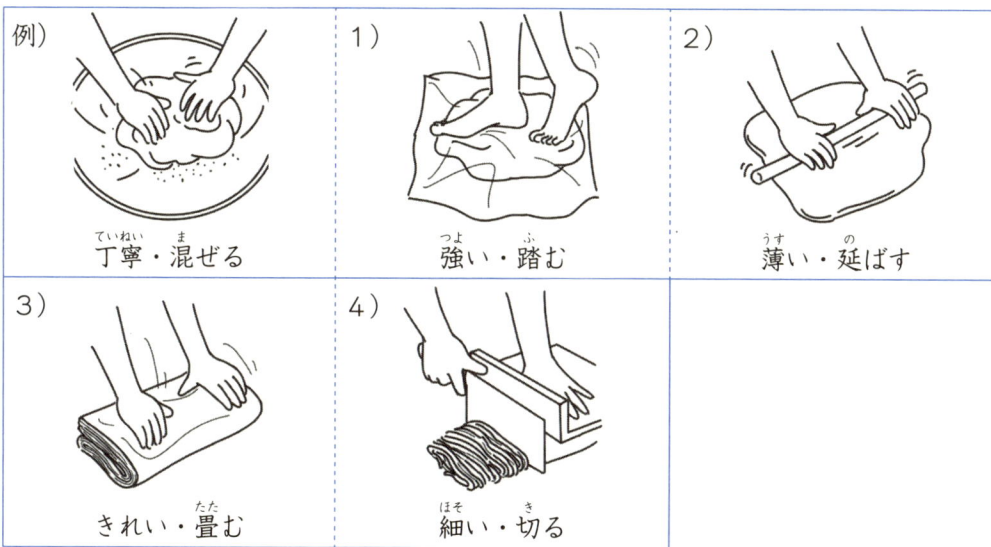

例）丁寧・混ぜる	1）強い・踏む	2）薄い・延ばす
3）きれい・畳む	4）細い・切る	

4.　コーヒーのにおいがします。

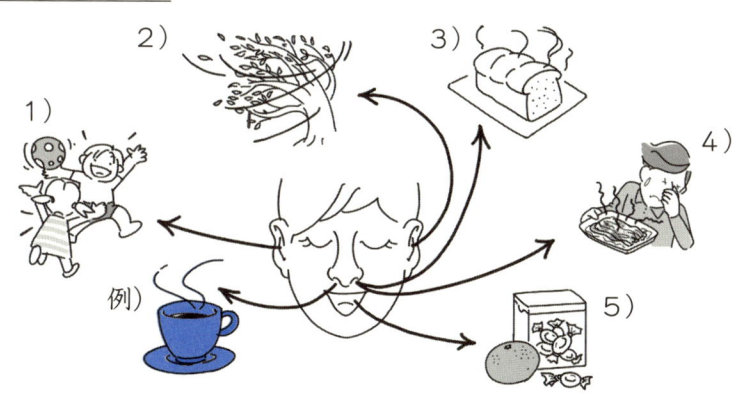

28

使いましょう 1

A：この間の地震は大変でしたね。
B：ええ。とても怖かったです。
A：今生活はどうですか。
B：まだ電気がつかないんです。電線が切れていて……。
A：それは大変ですね。

例）電気がつかない・電線が切れる
1）道が歩けない・ガラスがたくさん落ちる
2）車が通れない・木が倒れる
3）お風呂に入れない・水道が止まる
4）料理ができない・ガスが止まる

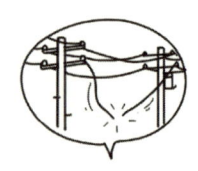

使いましょう 2

　日本は地震が多いです。調査によると、毎日日本のどこかで小さい地震が起きているそうです。大きい地震が起きると、電線が切れたり、家が倒れたりします。海の近くでは津波に気をつけなければなりません。ですから、地震が起きたら、できるだけ早く正確な情報をキャッチしてください。

1）皆さんの国には地震がありますか。
2）地震で困ったことがありますか。
3）皆さんの国の自然の災害について書いてください。

わたしの国は＿＿＿＿＿＿＿＿＿＿＿＿＿＿＿＿＿＿が多いです。

29 責任のある仕事だし、新しい経験ができるし……

CD-13

スミス：あれ、野口さん、引っ越しですか。

野口　：うん、福岡へ転勤することになったんだ。

スミス：えっ、本当ですか。ずいぶん急ですね。

野口　：うん。福岡に支店ができて、僕が行くことになったんだ。

スミス：そうですか。

野口　：責任のある仕事だし、新しい経験ができるし……。

スミス：そうですか。寂しくなりますね。

野口　：学校のみんなと一緒に遊びに来て。5人ぐらいだったら、うちに泊まれるよ。

スミス：えっ。

野口　：古いけど、広いうちを借りることにしたんだ。

スミス：そうですか。ありがとうございます。

1. ここは〔　　　　しずかだ　　　　〕し、〔人が　しんせつだ〕し、いい町です。
　　　　〔山登りが　できる〕　　　〔緑が　　おおい〕

2. わたしは今日から〔ジョギングを　する〕ことにしました。
　　　　　　　　　〔お酒を　　のまない〕

3. 来週の会議は〔２階の　会議室で　する〕ことになりました。
　　　　　　　〔　　　　　　　　　しない〕

4. 〔山田さんは　来週　ドイツへ　出張する〕ことになっています。
　〔うちの　会社では　水曜日　残業しない〕

① この仕事は責任のある仕事です。
② 古いけど、広いうちを借りた。
👥 福岡へ転勤することになったんだ。

CD-14

1-1.

うちの学食はおいしいし、値段が安いし、とてもいいです。

値段が安いです・量が多いです・野菜がたくさん食べられます・
メニューが豊富です・栄養のバランスがいいです・おいしいです・
週末も営業しています・景色がいいです・(　　　　　)

1-2.　A：(C)さんはどんな人ですか。
　　　　B：いい人ですよ。まじめだし、明るいし、
　　　　　それに（話が上手です）よ。
　　　　A：そうですか。

Cさん？

明るいです・きれい好きです・まじめです・活発です・
面白いです・我慢強いです・一生懸命働きます・
よく気がつきます

1-3.

寮とアパートとどちらがいいですか。

わたしは寮のほうがいいと思います。
(安全だ) し、(安いです) から。

わたしはアパートのほうがいいと思います。
(自由だ) し、(友達が泊められます) から。

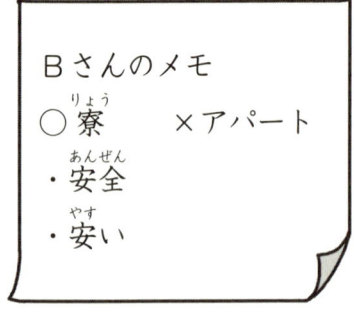

Bさんのメモ
○寮　　×アパート
・安全
・安い

あなたのメモ

例) 寮とアパート　　1) 都会と田舎　　2) 外食と自炊

2-1. わたしはお酒をやめることにしました。

1) まいにち
2) 20ぷん
3)
4) まいあさ
5)
例)

42

2-2.

A：大学院へ行くかどうか、もう決めましたか。

B1：はい。迷いましたが、
　　　行くことにしました。
A　：そうですか。
　　　（頑張ってください）。

B2：はい。迷いましたが、
　　　行かないことにしました。
A　：そうですか。
B2：（就職が決まった）ので。

例）大学院へ行きます
1）日本で就職します　　2）ペットを飼います
3）アルバイトを続けます

3. A：会議でどんなことが決まりましたか。
　　B：新聞に広告を出すことになりました。

例）新聞に広告を出します
1）バンコク支店を作ります
2）制服をやめます
3）新しい製品を開発します
4）コンピューターのシステムを変えます
5）今年は新入社員を募集しません

4. ここでは朝4時に起きることになっています。

例）朝4時に起きます
1）食事のまえに、掃除します
2）料理に肉や魚を入れません
3）1日に3回座禅をします
4）携帯電話を使ってはいけません
5）夜10時に寝ます

使いましょう

A：Bさん、どの会社を受けるんですか。
B：わたしはすばる電気を受けることにしました。
　　社員寮があるし、残業がないし、
　　いい会社だと思います。
A：そうですか。頑張ってくださいね。

例)（ B ）さん	すばる電気	社員寮がある。残業がない。
1)（　　）さん		
2)（　　）さん		

すばる電気　社員募集
専門の研修が受けられます！
社員寮があります！
残業がありません！

みどり電気　社員募集
独身寮があります！
アメリカに留学できます！
フレックスタイムです！

サミット電気　社員募集
新しい会社です！
経験がなくても、大丈夫です！
中国にも支店ができます！

30 お菓子の専門学校に入ろうと思っています

CD-15

田中：キムさんは卒業後どうするんですか。
キム：わたしは、お菓子の専門学校に入ろうと思っています。
　　　将来国へ帰って、自分の店を持ちたいので。
田中：自分の店ですか。
キム：ええ、いい材料を使って、おいしいケーキを作りたいんです。
田中：いいですね。リンさんは？
リン：わたしは国へ帰って旅行会社を作ろうと思っています。
田中：キムさんもリンさんも自分の将来についてよく考えていますね。
　　　夢を実現するために、頑張ってください。

30

1.

辞書形	意向形		辞書形	意向形
Ⅰ　かう	か**お**う	Ⅱ	たべる	たべ**よう**
かく	か**こ**う		ねる	ね**よう**
いそぐ	いそ**ご**う		おきる	おき**よう**
はなす	はな**そ**う		かりる	かり**よう**
まつ	ま**と**う			
しぬ	し**の**う	Ⅲ	くる	**こよう**
あそぶ	あそ**ぼ**う		する	**しよう**
よむ	よ**も**う			
かえる	かえ**ろ**う			

2. わたしは ［冬休み　北海道へ　いこう／あした　映画を　みよう］と思っています。

3. ［レポートを　かく／はっぴょうの］ために、資料を集めています。

……………………………………………………………………………………

👥 ラーメン、食べようか。

CD-16

1. 買う→買おう

例）買う　1）行く　2）出す　3）待つ　4）遊ぶ　5）読む
6）帰る　7）起きる　8）ためる　9）来る　10）勉強する

2-1. 映画を見ようと思っています。

2-2. A：夏休みの予定は？
B：まだ分かりませんが、海へ行こうと思っています。Aさんは？
A：わたしは（国へ帰ろう）と思っています。

2-3. P.185

大きい箱ですね。何が入っているんですか。

新しいスーツです。
（パーティーのとき、着よう）と思っています。

例）スーツ	パーティーのとき、着る
1)	
2)	
3)	
4)	(　　　　　　)
5)	(　　　　　　)
6)	(　　　　　　)

2-4.
A：Bさん、旅行に行きましたか。
B：いいえ、行こうと思っていたんですが、行けませんでした。
A：そうですか。残念でしたね。

例）旅行に行く
1）カメラを持って来る
2）彼／彼女にプレゼントを渡す
3）スピーチを覚える
4）日本語で発表する
5）彼／彼女に告白する

3-1. 例1) 弁護士になるために、勉強しています。
例2) 健康のために、ジョギングをしています。

例1) 弁護士になります ・　　　・ドラマを見ます
例2) 健康 ・　　　・大きい声であいさつをします
1) 新しい車を買います ・　　　・お金をためます
2) 論文を書きます ・　　　・ジョギングをします
3) 日本の習慣を知ります ・　　　・勉強します
4) いい人間関係を作ります ・　　　・資料を集めます
5) 将来 ・　　　・働きます
　　　　　　　　　　　　　　・（　　　　　　　）

3-2. A：今度、海外へ行くことになりました。
B：えっ、海外ですか。
A：ええ、砂漠に木を植えるために、行くんです。
B：そうですか。みんなのために、頑張ってください。

例) 砂漠に木を植えます　　1) 道路を作ります
2) 井戸を掘ります　　　　3) 学校や病院を建てます
4) 病気の人を助けます　　5) 子供に音楽を教えます

友達の会話 1

例) おなかがすいた　　1) 暇　　2) 疲れた

（例の会話）
- おなか、すいたね。
- うん、何か食べたいね。
- じゃ、ラーメン、食べようか。

友達の会話 2

A：ドア、開けようか。
B：うん、開けてくれる？

例) ドアを開ける　1) テレビを消す　2) ご飯を温める
3) お皿を洗う　4) 水を持って来る　5) ピザを注文する

使いましょう　標語を作ろう！

健康のために

もっと野菜を食べよう！

地球を守るために

水を大切に使おう！

31 あしたまでに見ておきます

CD-17

鈴木　　：ポンさんは受験する大学をもう決めましたか。
チャチャイ：はい、ゆり大学とみどり大学を受けようと思っています。
鈴木　　：卒業証明書や成績証明書は？
チャチャイ：高校に頼んでありますから、もうすぐ届くと思います。
　　　　　あのう……。
鈴木　　：何ですか。
チャチャイ：願書を書いたんですが、見ていただけませんか。
鈴木　　：はい、いいですよ。あしたまでに見ておきます。
チャチャイ：ありがとうございます。よろしくお願いします。

31

1. 旅行に行くまえに、⎡ガイドブックを よんで⎤おきます。
　　　　　　　　　　⎣ホテルを　　よやくして⎦

　会議が終わったら、⎡机を　かたづけて⎤おきます。
　　　　　　　　　　⎣部屋を そうじして⎦

2. ⎡窓を　あけて　　⎤おきます。
　⎣そのままにして　⎦

　A：窓を閉めましょうか。
　B：いいえ、あけておいてください。

3. 壁に⎡地図が はって⎤あります。
　　　⎣絵が　 かけて⎦

　ジュースはもう⎡かって⎤あります。
　　　　　　　　⎣ひやして⎦

4. ゆうべ⎡お酒を のみ⎤すぎました。
　　　　⎣ご飯を たべ⎦

　この問題は⎡むずかし⎤すぎます。
　　　　　　⎣ふくざつ⎦

5. 髪を⎡みじかく　⎤します。
　　　⎢きれいに　 ⎥
　　　⎣ちゃいろに ⎦

CD-18

1-1. 恋人が来るので、部屋を掃除しておきます。

1-2. 授業が終わったら、ホワイトボードを消しておいてください。

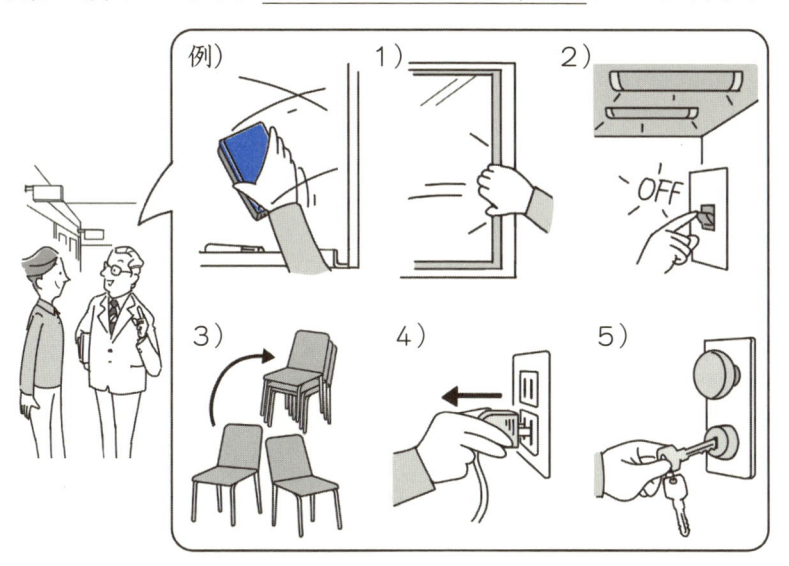

2. A：お皿を片付けましょうか。
B：あ、結構ですよ。置いておいてください。

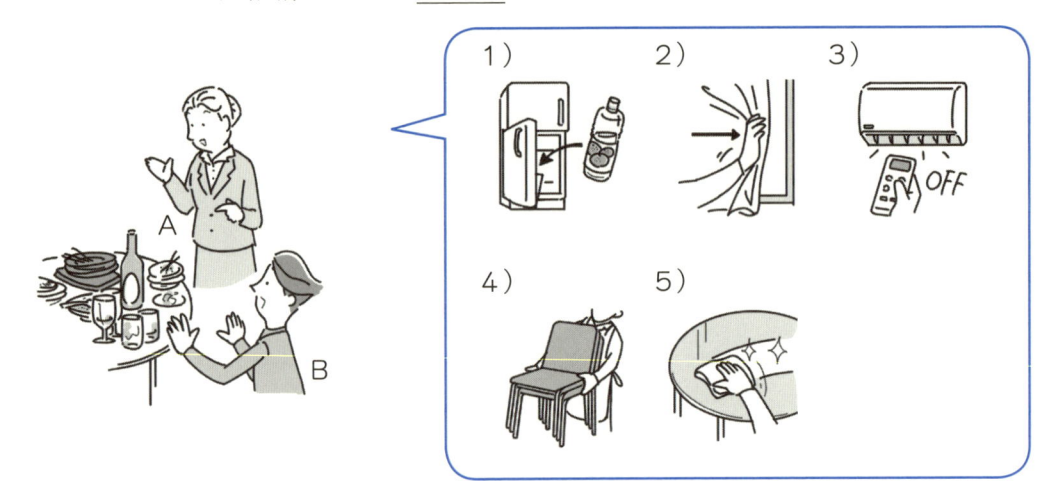

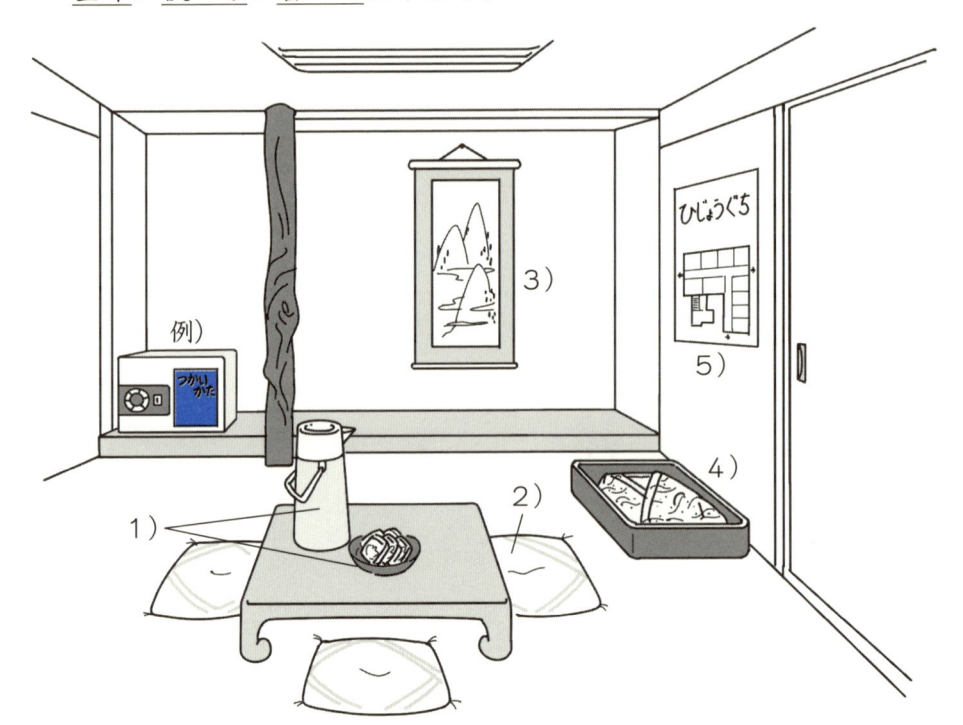

1) 2) 3)
4) 5)

3-1. ここは日本の旅館です。
金庫に使い方が書いてあります。

例）
1) 2) 3) 4) 5)

3-2. 📖 P.186

> A：Bさん、通訳は（頼んで）ありますか。

はい ↓

> B1：はい、もう（頼んで）あります。

いいえ ↓

> B2：すみません。まだです。
> A ：じゃ、（頼んで）おいてください。

例）通訳	（頼む）	○
1）資料のコピー	（　　）	
2）スケジュール表	（　　）	
3）スクリーン	（　　）	
4）水	（　　）	

4-1. 働きすぎました。

4-2. 長すぎます。

31

55

4-3. (勉強し／宿題が多)すぎて、頭が痛いです。

5. きれいにしてください。

例) 1) 2) 3) 4)

使いましょう　市民マラソン準備委員会

A：いよいよあさってはマラソン大会ですね。
　　警察の届けやコースの準備はどうなっていますか。
B：警察の届けは先週わたしが出しておきました。
C：トイレはもう準備してあります。
　　外国語のポスターは今日届く予定ですから、
　　届いたら、すぐ張っておきます。
A：そうですか。ランナーに渡す水は？
B：100本買ってあります。
A：うーん、少なすぎますね。全部で200本にしてください。
B：はい、分かりました。
A：じゃ、皆さん、よろしくお願いします。
　　マラソン大会の成功のために、頑張りましょう。

1) マラソン大会のために、委員会は何をしましたか。
2) これから何をしますか。
3) そのほかにどんなことをしたらいいと思いますか。

32 りんごの皮はむかないほうがいいですね

CD-19

渡辺　　　：トムさん、お茶でもいかがですか。
ジョーダン：ありがとうございます。じゃ、1杯頂きます。
　　　　　　わあ、大きいりんごですね。
渡辺　　　：ええ。母が送ってくれたんです。
ジョーダン：そうですか。
　　　　　　あれ、渡辺さんは皮をむいて食べるんですか。
渡辺　　　：ええ、トムさんは皮をむかないで食べるんですか。
ジョーダン：ええ。りんごの皮はおいしいし、栄養があるんですよ。
　　　　　　だから、むかないほうがいいですよ。
渡辺　　　：じゃ、むかないで食べましょう。

1. ［ゆっくり　やすんだ／あまり 無理を しない］ほうがいいです。

   A：今日はとても疲れました。
   B：そうですか。ゆっくり休んだほうがいいですよ。

2. ［今晩 雪が　　　　　　ふる／10時までに 駅に つかない／定期を　　　　なくした／あした　　　　　さむい／この 仕事は　　　たいへん／あの 2人は　　　こいびと］かもしれません。

3. ［手袋を　して／帽子を かぶって］スケートをしました。

   ［辞書を みないで／声を ださないで］読んでください。

① お茶でもいかがですか。

CD-20

1-1. インフルエンザがはやっていますから、予防注射をしたほうがいいですよ。

1-2. 夜更かしをしないほうがいいですよ。

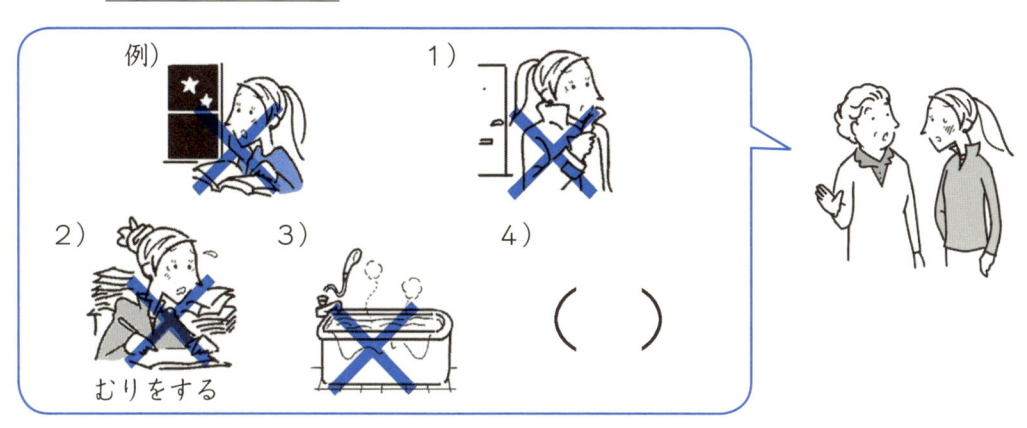

1-3. A：どうしたの？
B：隣の家のガラス、割ったんだ。
A：えっ、(すぐ謝った) ほうがいいよ。

2-1. 病気になるかもしれません。

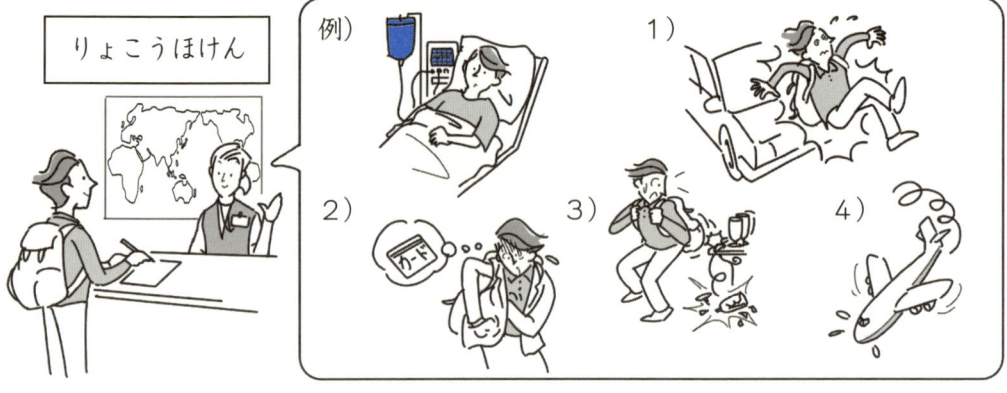

りょこうほけん

例）
1）
2）
3）
4）

2-2.

子供が泣いていますね。
（迷子）かもしれません。
（店の人に知らせた）ほうがいいですね。

1） 風が強いですね。
（　　）かもしれません。 
（　　）ほうがいいですね。

2） だれのですか。 
（　　）かもしれません。
（　　）ほうがいいですね。

3） 道が込んでいますね。 
（　　）かもしれません。
（　　）ほうがいいですね。

3-1. わたしはうさぎの耳をつけてパーティーに参加します。

3-2. 希望を捨てないで頑張りました。

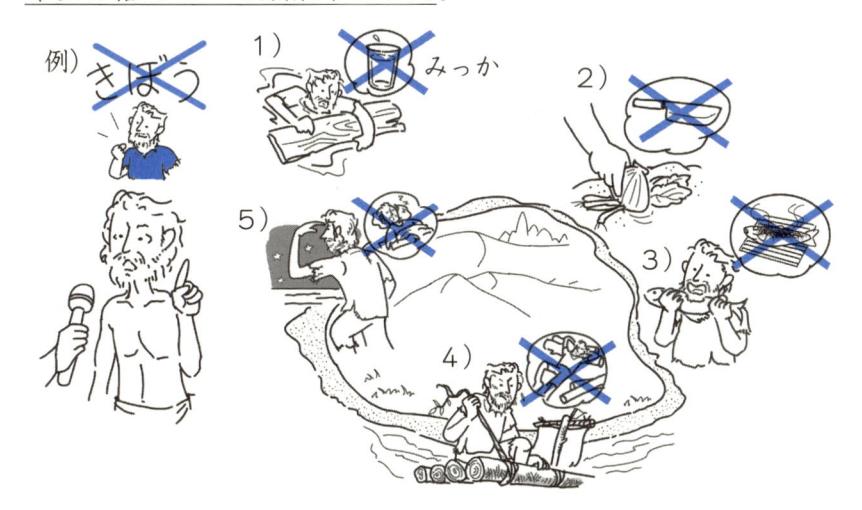

3-3. 🎤 A：(B) さんはりんごの皮をむいて食べますか。
　　　　B：いいえ、むかないで食べます。

使いましょう 1　新しい公園の計画案

例) ボール遊びを禁止する
1) 桜の木を植える
2) 池を作る
3) 自動販売機を置く
4) 喫茶店を作る
5) (　　　　　　　)

A：皆さん、これは新しい公園の計画案です。
　　この案について皆さんのご意見をお願いします。

B：わたしはボール遊びを禁止しないほうがいいと思います。
　　（子供はボール遊びが好きです）から。

C：そうですか。わたしは禁止したほうがいいと思います。
　　（散歩をしている人にボールが当たったら、危ないです）から。

使いましょう 2

A：未来の学校はどうなると思いますか。
B：そうですね。今は（みんなが同じことを勉強しなければなりません）。しかし、100年後は（自分の興味があることが勉強できるようになる）かもしれません。（勉強が楽しくなると思います）。

例) 学校	1) 車	2) 薬	3)
			(　)

まとめ6 (28—32)

1.

辞書形	意向形	辞書形	意向形
あるく	例) あるこう	まつ	1)
およぐ	2)	みせる	3)
くる	4)	する	5)

2-1. かぎがかかりました。

2-2. 車のドアを閉めました。

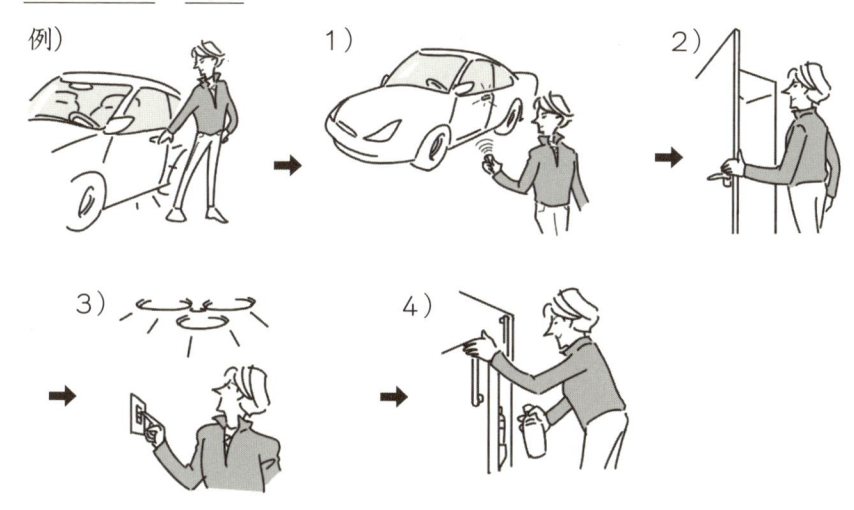

3.

> わたしは先週渡辺さんに回転ずしに連れて行ってもらいました。初めての経験でした。店の中はすしのいいにおいがしました。お客さんがおしゃべりしながら、食べていました。すしがたくさん回っていました。人気のあるすしはたくさん作って、お皿に載せておくそうです。壁にいろいろな色のお皿が掛かっていました。白いお皿がいちばん安くて、金色のがいちばん高いそうです。わたしたちは2人で20皿食べました。ちょっと食べすぎたかもしれません。回転ずしは安いし、自分で好きなものが選べるし、いいと思います。

1）マリーさんは国で回転ずしに行ったことがありますか。
2）すしの値段は何を見たら分かりますか。
3）マリーさんは回転ずしについてどう思っていますか。

初めての経験

33

車があれば、便利です

渡辺　　：車を買うんですか。
カルロス：ええ。車があれば、ドライブに行ったり、大きい荷物を運んだりできますから。
渡辺　　：そうですね。車があれば、便利ですね。
カルロス：中古車なら、買えるんですが……。
　　　　　中古車でも、大丈夫ですか。
渡辺　　：ええ。丁寧に使っていた車なら、きれいだし、故障も少ないですよ。
カルロス：そうですか。
渡辺　　：中古車センターへ行って、実際に運転すれば、いい車が選べるんじゃないですか。
カルロス：そうですね。ありがとうございます。

33

1.

	辞書形	条件形		辞書形	条件形
I	かう	かえば	II	たべる	たべれば
	かく	かけば	III	くる	くれば
	いそぐ	いそげば		する	すれば
	はなす	はなせば			
	まつ	まてば	い形	たかい	たかければ
	しぬ	しねば		*いい	よければ
	あそぶ	あそべば	な形	かんたん	かんたんなら
	よむ	よめば		きれい	きれいなら
	とる	とれば	名	あめ	あめなら

⎡ 推薦状が　　　　　　あれば、⎤
｜ ほかの 奨学金を もらって いなければ、｜　この奨学金がもらえます。
｜ 研究計画書が　　　　よければ、｜
｜ 成績が　　　　ゆうしゅうなら、｜
⎣ 　　　　　　りゅうがくせいなら、⎦

2. あしたは ⎡ はれる　　　⎤ でしょう。
　　　　　｜ 雨が ふらない ｜
　　　　　｜ あたかい　　 ｜
　　　　　⎣ ゆき　　　　 ⎦

・・

① いい車が選べるんじゃないですか。
② コンサートがあるんだけど、一緒に行かない？
③ 行けるかな。
④ 行こうよ。
　チケット、買っといて。

66

33

CD-22

1-1. 食べる→食べれば

例）食べる　1）勉強する　2）頼む　3）考える　4）拾う
5）持って来る　6）並ぶ　7）待つ　8）話す　9）見る

1-2. 急げば、間に合います。

例）急ぐ
1）タクシーに乗る
2）走る
3）6時に起きる
4）（　　　）

1-3. A：どうすれば、安く旅行できますか。
B：4人以上で申し込めば、安くなりますよ。

1-4. 食べない→食べなければ

例）食べない　1）勉強しない　2）頼まない　3）考えない
4）拾わない　5）持って来ない　6）並ばない　7）待たない

33

1-5. 途中であきらめなければ、夢が実現できます。

例）途中であきらめません　・　　・来週でもいいです
1）ミスをしません　　　　　・　　・夢が実現できます
2）サボりません　　　　　　・　　・売れません
3）今週できません　　　　　・　　・5時までに終わります
4）宣伝しません　　　　　　・　　・生活できません
5）奨学金がもらえません　　・　　・100点が取れます

1-6. 🎤 A：どうすれば、長生きできますか。
B：(早寝早起きをすれば／たばこを吸わなければ)、長生きできます。

例）長生きできる	（B）さん　早寝早起きをする
1）日本人と友達になれる	（　　　　　）さん
2）社長になれる	（　　　　　）さん
3）（　　　　　　　）	（　　　　　）さん

1-7. 高い→高ければ　　高くない→高くなければ
簡単→簡単なら　　簡単じゃない→簡単じゃなければ
雨→雨なら　　雨じゃない→雨じゃなければ

1）近い　2）熱心　3）休み　4）いい　5）きれい
6）暇じゃない　7）休みじゃない　8）おいしくない

1-8. A：将来日本の会社で働きたいですか。
　　　B：そうですね。給料が高ければ、働きたいです。

例) 給料が高い
1) 条件がいい
2) 残業が多くない
3) 技術開発に熱心
4) 専門が生かせる仕事
5) (　　　)

1-9.

A：ねえ、(サミットバンドのコンサートがあるんだ) けど、一緒に行かない？
B：うーん、レポートが終われば、行けるんだけど……。行けるかな。
A：行こうよ。
B：じゃ、チケット、買っといて。

例) レポートが終わる　1) 宿題がない　2) 仕事が休み
3) アルバイト代が入る　4) (　　　　　)

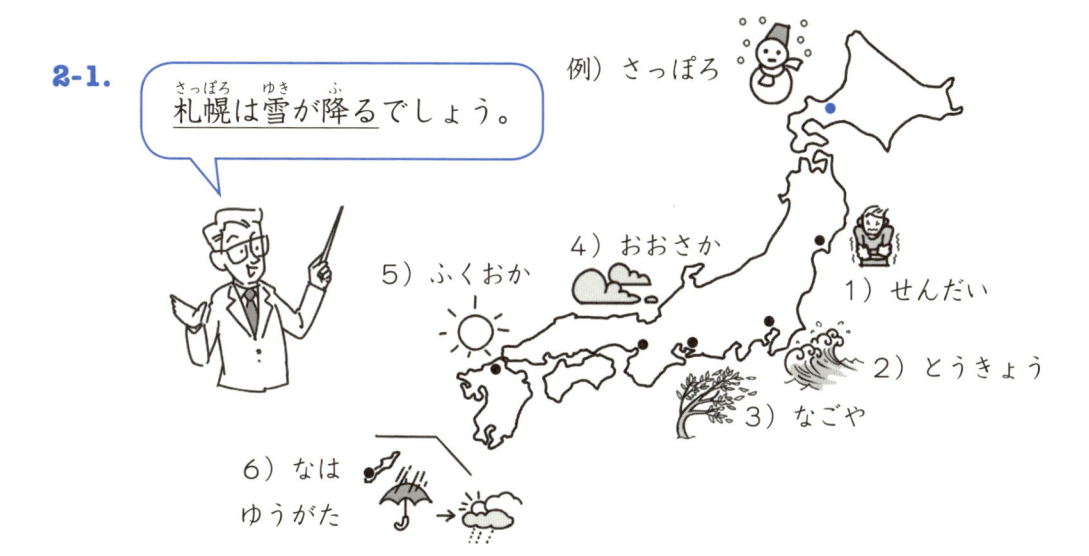

2-1.

札幌は雪が降るでしょう。

例) さっぽろ
1) せんだい
2) とうきょう
3) なごや
4) おおさか
5) ふくおか
6) なは　ゆうがた

2-2. A：わたしたちの町に映画の大学を作りましょう。

B：映画の大学ができれば、（有名人が来る）でしょう。

C：そうですね。（いいですね）。

例）映画の大学	1）スタジアム	2）（　　　　　）
① 有名人が来る		
② 若い人が来る		
③ 町がにぎやかになる		
④ （　　　　　）		

使いましょう

例）この靴を履けば、（空を飛べます）

1）この_____ば、（　　　）

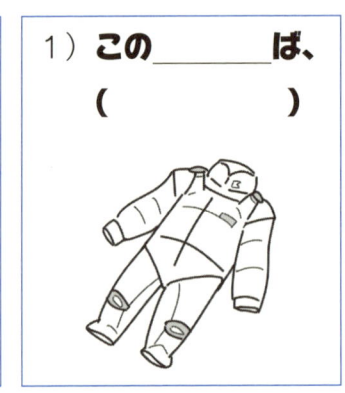

2）この_____ば、（　　　）

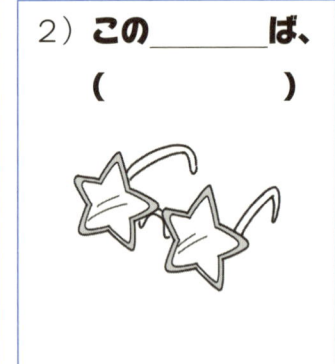

3）この_____ば、（　　　）

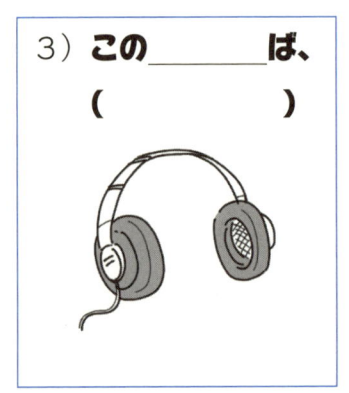

4）この_____ば、（　　　）

34 試合に負けてしまいました

CD-23

ジョーダン：ただいま。
岩崎　　：お帰りなさい。どうしたんですか。
ジョーダン：試合に負けてしまったんです。
岩崎　　：残念でしたね。だれでも試合に負けるのは悔しいですよね。
ジョーダン：僕がコーチのサインを見るのを忘れてしまったから……。
岩崎　　：そんなにがっかりしないでください。今度頑張ってください。
ジョーダン：はい。ありがとうございます。

1. ［本を 全部 よんで / レポートを かいて］しまいました。

2. ［財布を なくして / 名前を わすれて］しまいました。

3. ［眼鏡を かけた / 電気を つけた］まま寝ています。

4. ［友達と りょこうする / 犬と あそぶ］のは楽しいです。

　［音楽を きく / 絵を みる］のが好きです。

　［窓を しめる / かぎを かける］のを忘れました。

---

① 1時間で読んでしまいました。
② だれでも試合に負けるのは悔しいですよね。
　試合に負けちゃった。

1-1. A：宿題は？
B：休み時間にしてしまいました。

- ゆうべ書く
- 1時間で読む
- 休み時間にする
- 10時に食べる
- もう片付ける

1-2. A：もうお昼ですよ。昼ご飯を食べに行きませんか。
B：すみません。このデータを（整理して）しまいたいので……。
A：そうですか。では、お先に。

例）データ　1）資料　2）報告書　3）仕事　4）書類

2-1. かぎをなくしてしまいました。

2-2. A：どうしたんですか。

B：パソコンがフリーズしてしまったんです。

A：えっ、それは大変ですね。

例）パソコンがフリーズする
1）データを削除する
2）アドレスを間違えて送信する
3）ファイルの添付を忘れる
4）データを保存しないで終了する
5）パスワードを忘れる
6）どれが新しいファイルか分からなくなる

2-3. A：どうしたの？

B：試合に負けちゃった。

1）かぜ
2）パンク
3）ころぶ

3-1. アランさんはスーツを着たまま、寝ています。

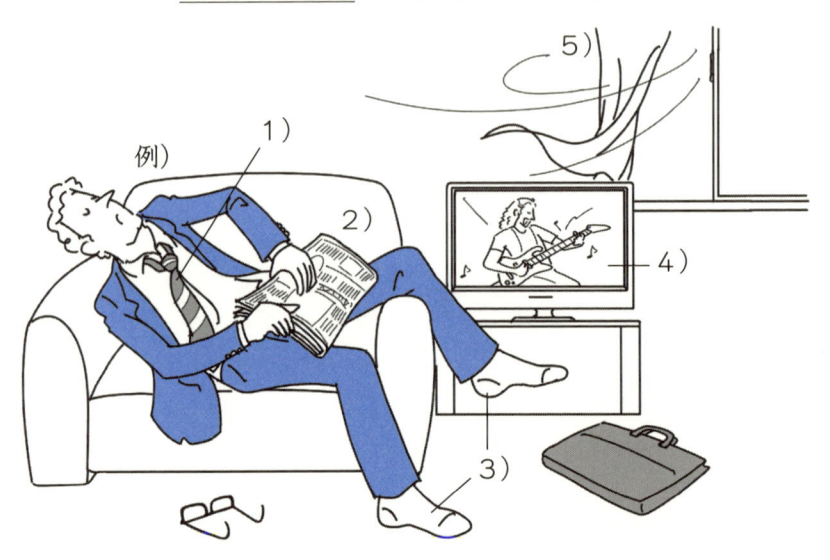

3-2. アランさんはエアコンをつけたまま、出かけてしまいました。

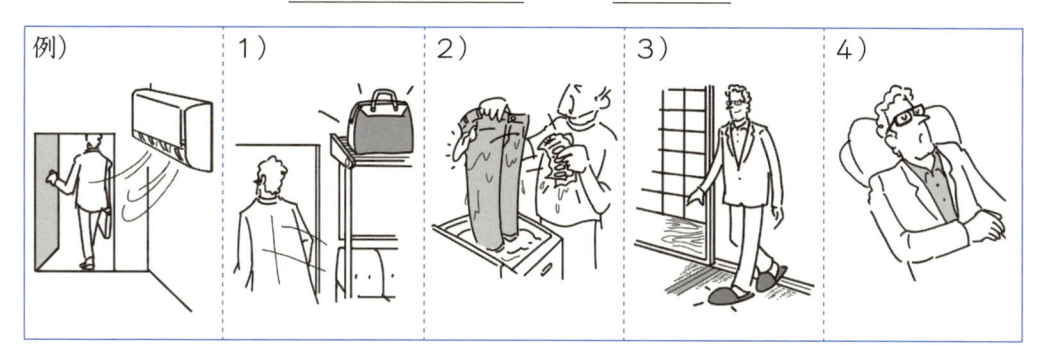

4-1. （海で泳ぐ）のは楽しいです。

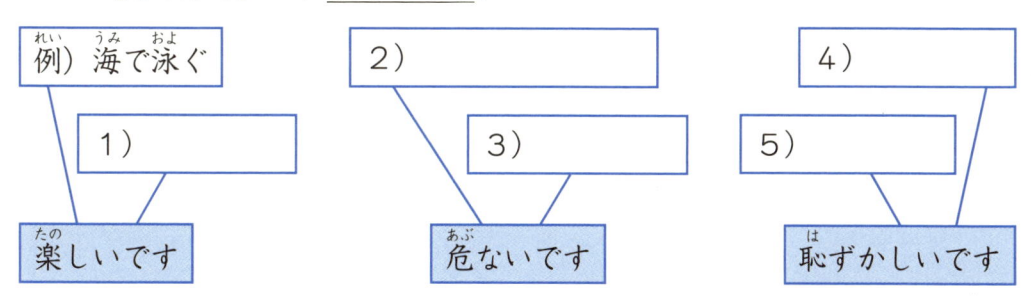

4-2. 例）わたしは（サッカーを見る）のが（好き・嫌い）です。
　　　1) わたしは（　　　　　）のが（得意・苦手）です。
　　　2) わたしは（　　　　　）のが（速い・遅い）です。

4-3. かぎをかけるのを忘れてしまいました。

4-4. A：ホセさんが車を買ったのを知っていますか。
　　　B：えっ、本当ですか。知りませんでした。どんな車ですか。
　　　A：(中古車ですが、きれいな車です)。

例) ホセさんが車を買いました　　1) ローラさんが会社を作ります
2) 昨日事故がありました
3) アンさんが新しいロボットを開発しています

4-5. 🎤 P.186
A　：(わたしの国には税金がない)のを知っていますか。
B１：はい、知っています。　　B２：いいえ、知りませんでした。

使いましょう ✏️ 👤

　　僕は４歳のとき、初めて恋をしました。相手は幼稚園の林もも子先生でした。林先生はいつもにこにこしていて、優しかったです。一緒に歌を歌ったり、踊ったりするのはとても楽しかったです。
　　でも、林先生は幼稚園を辞めてしまいました。
　　結婚して、外国へ行ったと母から聞きました。
　　僕の初恋は終わりました。

1) 太郎さんの初恋はいつですか。
2) 林先生はどんな先生でしたか。
3) 幼稚園で林先生と一緒に何をしましたか。
4) どうして初恋は終わりましたか。

たろう

僕の／わたしの初恋物語
(僕／わたし)は(　　　　　　)のとき、初めて恋をしました。

35 傘を持ち歩くようにしています

CD-25

チャチャイ：木村さん、それは何ですか。
木村　　：傘です。
チャチャイ：えっ。ずいぶん小さいですね。
木村　　：ええ、持ち歩くのにいいですよ。
チャチャイ：そうですか。いつも持っているんですか。
木村　　：ええ、今の季節は雨が多いので、持ち歩くようにしています。小さすぎて、ちょっと使いにくいんですけど……。
チャチャイ：ちょっと見せてください。軽くていいですね。どこで売っているんですか。
木村　　：駅前のスーパーで売っていますよ。あした行きますから、ついでに買って来ましょうか。
チャチャイ：えっ、いいんですか。すみません。

35

1. ［約束の 時間に まにあう］ように、急いで行きます。
   ［会議に　　　　おくれない］
   ［7時の 電車に　のれる］

2. 毎日［野菜を たべる］ようにしています。
   　　［無理を しない］

3. このかばんは［重い 荷物を はこぶの］にいいです。
   　　　　　　［　　　　　　りょこう　］

4. ［この カメラは　つかい］にくいです。
   ［車の 窓ガラスは われ］

   ［この 辞書は　　　つかい］やすいです。
   ［ガラスの コップは われ］

....

① 大学に合格しますように。

CD-26

1-1. 忘れないように、メモをします。

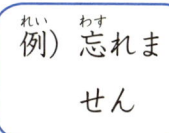

例) 忘れません
1) けがをしません
2) 転びません
3) 約束の時間に間に合います。

1-2. 早く起きられるように、(目覚まし時計をセットします)。
例) 早く起きられます　1) 日本語が上手になります
2) 風邪を引きません　3) よく寝られます

1-3. A：最近この水族館は人気がありますね。
いろいろな工夫をしているそうですが……。
B：ええ、魚がよく見えるように、
ガラスのトンネルを作りました。

例) 魚がよく見えます　1) ショーのとき、ぬれません
2) 外国人が分かります　3) 車いすの人が入れます

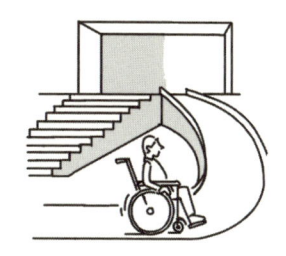

2-1. 毎日漢字を5つ覚えるようにしています。

例)	1)	2)	3)	4)
水山上月人 いつつ	にほんご	ニュース	よしゅう	ざっし

2-2.

A：健康のために、何か気をつけていることがありますか。

B：はい、(ストレスをためない) ようにしています。

	(B) さん	(　) さん	(　) さん
例) 健康	ストレスをためない		
1) いい人間関係を作る			

> わたしは(B)さんに聞きました。(B)さんは健康のために、ストレスをためないようにしているそうです。わたしは(できるだけスポーツをする)ようにしています。

3-1. これはつめ切りです。つめを切るのに使います。

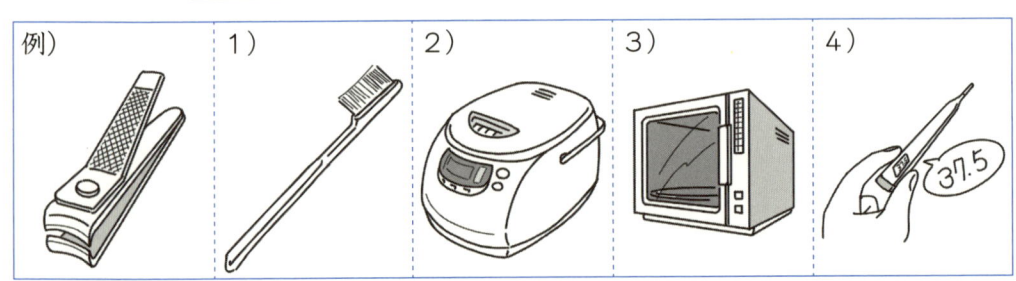

例)	1)	2)	3)	4)
つめ切り	歯ブラシ	炊飯器	電子レンジ	体温計 37.5

3-2. A：この<ruby>靴<rt>くつ</rt></ruby>はジョギングにいいですよ。
　　　B：そうですか。

```
ジョギング
山登り
海外旅行
1泊旅行
パーティー
```

3-3. P.187

デザインを決めるのに
どのぐらいかかりましたか。

3か月かかりました。

	白雪姫	城
デザインを決める・どのぐらいかかる	例）3か月	3か月
作る・何日かかる	1）	4）20日
作る・雪が何トン必要	2）	5）15トン
雪を運ぶ・トラックが何台要る	3）	6）3台

4-1. この時計は見やすいです。この時計は見にくいです。

例）　　1）　　2）　　3）

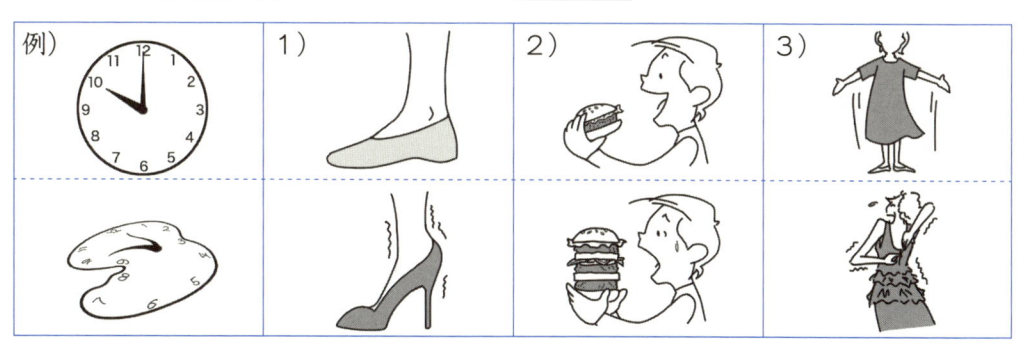

4-2.

この花瓶は割れやすいので、気をつけてください。

例) 1) 2) 3) 4)

使いましょう 1

皆さんは、神社やお寺で、木の板がたくさん掛かっているのを見たことがありますか。裏には「大学に合格しますように」とか、「結婚できますように」などと書いてあります。

また、そば屋やすし屋には猫の人形が置いてあります。お客さんが大勢来るように、手を挙げてお客さんを招いています。

日本にはほかにもいろいろな願い事の習慣があります。

1) 入学試験のまえに、どうやって合格のお願いをしますか。
2) そば屋などに置いてある猫の人形は何をしていますか。
3) 皆さんの国ではお願いするとき、どうしますか。

使いましょう 2

七夕のお願い

七夕には紙に願い事を書いて飾ります。
あなたもお願いしましょう。

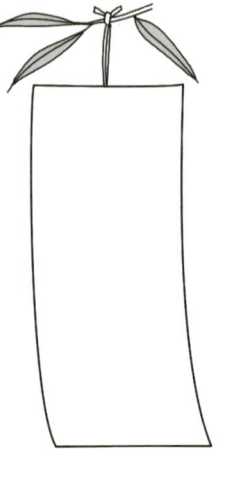

36 いろいろな国の言葉に翻訳されています

リン：渡辺さん、この小説を読んだことがありますか。
渡辺：ええ、ありますよ。若い人に人気があって、いろいろな国の言葉に翻訳されていますね。
リン：この間先生に勧められたので、図書館で借りて来たんです。
　　　この本はどうでしたか。面白かったですか。
渡辺：ええ。特に犯人だと疑われた男の人の生き方が興味深かったです。
リン：そうですか。
渡辺：でも、その男の人は最後に恋人に殺されてしまうんですよ。
リン：渡辺さん、言わないでくださいよ。
　　　これから読もうと思っているんですよ。

1.

	辞書形	受身形		辞書形	受身形
I	いう	い**われる**	II	たべる	たべ**られる**
	きく	き**かれる**		おしえる	おしえ**られる**
	さわぐ	さわ**がれる**		みる	み**られる**
	はなす	はな**される**		いる	い**られる**
	まつ	ま**たれる**			
	しぬ	し**なれる**	III	くる	**こられる**
	よぶ	よ**ばれる**		する	**される**
	よむ	よ**まれる**			
	つくる	つく**られる**			

2. わたしは先生に ［ よばれました。
　　　　　　　　　　 ちゅういされました。 ］

3. わたしは ［子供］ に ［カメラを こわされました。
　　　　　　　 雨　　　　　　　　　　　 ふられました。 ］

4. 大阪で会議が ひらかれます。
　　 金沢は小京都と いわれています。

・・

① 源氏物語は 紫式部によって書かれました。
② 兼六園という公園
🗣 歌舞伎を見に行こうって言われた。

CD-28

1. 言う→言われる

例) 言う　1) 呼ぶ　2) 騒ぐ　3) 誘う　4) 振る　5) 建てる
6) しかる　7) 褒める　8) 壊す　9) 発明する　10) 来る

2-1. わたしは母に起こされました。

2-2. A：どうしたんですか。元気がありませんね。
B：ええ、先生に注意されたんです。
遅刻が多いと言われました。
A：そうですか。

例) 注意する・遅刻　1) 呼ぶ・欠席
2) しかる・おしゃべり

2-3. A：何かいいこと、あったの？ にこにこして……。
B：うん。さっき（木村さん）に誘われたんだ。
（歌舞伎に行こう）って言われたよ。
A：よかったね。

例) 誘う
1) 褒める　2) プロポーズする

3-1. 隣の人に足を踏まれました。

3-2. A：どうしたんですか。
　　　　B：ゆうべ酔っ払いに騒がれて、大変だったんです。
　　　　A：そうですか。(酔っ払いは嫌ですね)。
　　　例) 酔っ払いが騒ぐ　1) 蚊が刺す　2) 友達が急に来る
　　　3) 雨が降る　4) 子供が泣く

3-3. 例1) A：隣の人にピアノを弾かれました。
　　　　　　B：(それは大変でしたね)。
　　　例2) A：マリーさんにピアノを弾いてもらいました。
　　　　　　B：(それはよかったですね)。

4-1. 1998年に長野オリンピックが開かれました。

例) 1998年　　1) 1971年　　2) 14世紀　　3) 平安時代

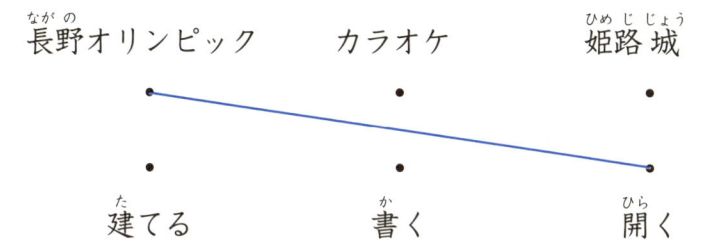

長野オリンピック　　カラオケ　　姫路城　　源氏物語

建てる　　書く　　開く　　発明する

わたしの国では（　　　）に（　　　　　　　）。

4-2. 源氏物語は紫式部によって書かれました。

例) げんじものがたり／紫式部
1) ダイナマイト／ノーベル
2) ハムレット／シェークスピア
3) ラジウム／マリー・キュリー
4) タージ・マハル／シャー・ジャハーン

書く・作る・発明する・発見する

4-3.

> (日本)は(工業・農業・漁業)が盛んです。(名古屋や横浜)から(自動車やテレビ)が外国へ輸出されています。そして、(石油や果物)が輸入されています。

使いましょう

金沢は古くて、静かな町で、小京都と言われています。
6月に行われる大きい祭りでは、侍の行列を見ることができます。金沢で作られている伝統的な工芸品は、日本の家庭でよく使われています。
金沢には兼六園という有名な公園があります。大変美しい公園で、みんなに親しまれています。

1) 金沢は何と言われていますか。
2) 大きい祭りはいつ行われますか。
3) どんなものが作られていますか。
4) 兼六園はどんな公園ですか。

37

面白そうですね

木村　　　：すみません、遅くなってしまって。
チャチャイ：わたしも今来たところです。
木村　　　：今日はご招待ありがとうございます。

　　　　　　これはタイカレーですか。
チャチャイ：ええ、みんなで作ったんです。食べてみてください。
木村　　　：すごくおいしいですね。
チャチャイ：ありがとうございます。あ、今101番教室でインドネシア
　　　　　　の踊りをやっていますよ。
木村　　　：面白そうですね。見に行きましょうか。
チャチャイ：ええ。

1. リンさんは［たのし / ひま］そうです。

雨（あめ）が［ふり / やみ］そうです。

留学生（りゅうがくせい）が［ふえ / へり］そうです。

2. ［コンサートが　はじまる / コンサートを　やっている / コンサートが　おわった］ところです。

3. ちょっと［たべて / きいて］みます。

① ちょっと手伝（てつだ）ってくれませんか。

1-1. あの子供たちは楽しそうです。

1-2. A：この人、意地悪そうだね。
　　　 B：そんなことないよ。（いい）人だよ。

意地悪・頑固・わがまま・暗い・冷たい・厳しい・
気が弱い・気が短い

1-3. 木が倒れそうです。

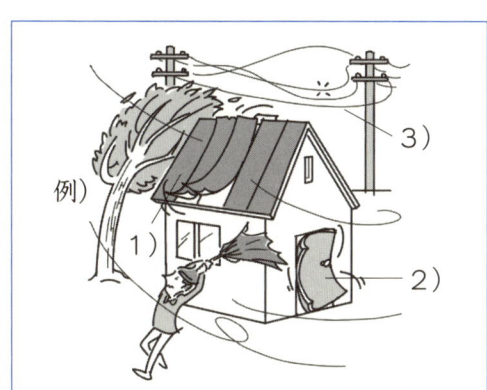

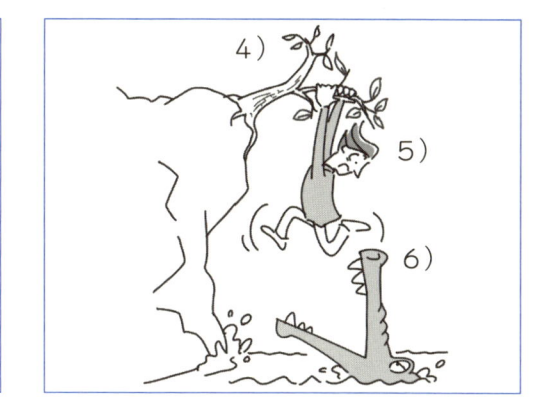

1-4. A：交流パーティーの食券は何枚ぐらい売れそうですか。
　　　 B：(100枚ぐらい)売れそうです。
　　　 A：(じゃ、食券は150枚用意しましょう)。

例) 食券は何枚ぐらい売れる
1) 当日何人手伝いに来られる
2) 材料費はいくらぐらいかかる
3) 料理を作るのに何時間かかる
4) どの料理がいちばん売れる
5) 後片付けにどのぐらい時間が使える

2-1. 浴衣を着るところです。
　　　 浴衣を着ているところです。
　　　 浴衣を着たところです。

この写真は……

例1)　例2)　例3)

1)
2)　「いってまいります」
3)
4)
5)　「いただきます」
6)　「ただいま」

2-2.

こんにちは。

いらっしゃい。ちょうど今ケーキが焼けたところ。
（一緒に食べない？）

例）ちょうど今ケーキが焼けました
1）今からドライブに行きます　2）ちょうど今宿題が終わりました
3）今旅行の写真を見ています　4）今キムさんが来ました

2-3.　A：ちょっと手伝ってくれませんか。
　　　B：すみません。今書類をコピーしているところなんです。
　　　A：じゃ、あとでお願いします。
　　例）今書類をコピーしています
　　1）今からミーティングが始まります
　　2）部長に報告書を見てもらいます
　　3）（　　　　　　）

3.

このドレス、いかがですか。着てみてください。
（きっとよく似合いますよ）。

そうですか。じゃ、……。

例）　1）　2）　3）　4）

37

93

使いましょう

例） 結婚しない人の割合

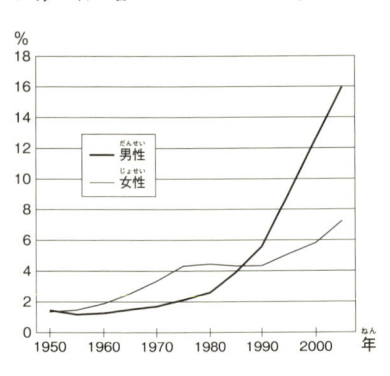

　このグラフは結婚しない人の割合を表すグラフです。このグラフを見ると、独身の人が増えていることが分かります。これから、もっと増えそうです。ですから、（独身者用の商品を開発すれば、売れる）と思います。

1) 海外へ行った人の数

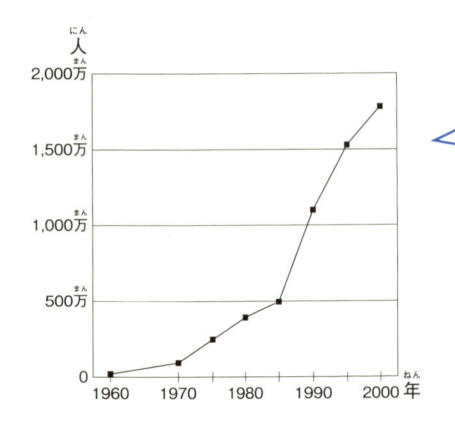

　このグラフは＿＿＿＿＿＿を表すグラフです。このグラフを見ると、＿＿＿＿＿＿ことが分かります。これから、もっと＿＿＿＿＿＿そうです。ですから、（　　　　）と思います。

2) 生まれた赤ちゃんの数

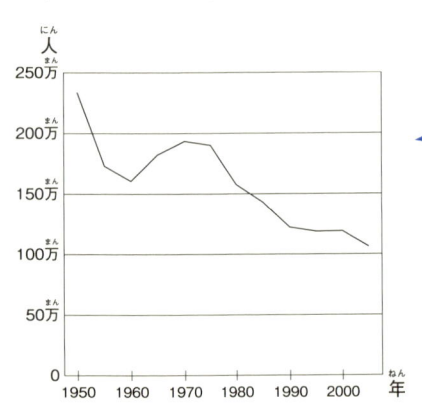

　このグラフは＿＿＿＿＿＿を表すグラフです。このグラフを見ると、＿＿＿＿＿＿ことが分かります。これから、もっと＿＿＿＿＿＿そうです。ですから、（　　　　）と思います。

出典
国立社会保障・人口問題研究所　http://www.ipss.go.jp/syoushika/site-ad/index-tj.htm
法務省　http://www.moj.go.jp/TOUKEI/ichiran/nyukan.html#01

まとめ7 （33—37）

1.

辞書形	条件形	受身形
かく	かけば	かかれる
おす	1)	2)
くる	3)	4)
せつめいする	5)	6)
つくる	7)	8)
ほめる	9)	10)

2.

例）僕も今来たところです。

おそくなってすみません。

1) ＿＿＿まま、＿＿＿しまいました。

2) 店の人に服を＿＿＿ました。

3) わあ、＿＿＿そうですね。

4) ワインが＿＿＿そうです。

5) このケーキは＿＿＿にくいです。

3.

　　ファミコンは1983年に発売されたゲーム機で、世界中で使われていた。ファミコンはファミリーコンピューターの略だ。開発者は子供からお年寄りまで、家族がみんなで楽しめるようにしたいと考えて、この名前をつけたそうだ。ファミコンの特徴は壊れにくいことだ。子供が乱暴に使っても壊れないように丈夫に作ったそうだ。
　　ファミコンが発売された当時、コンピューターゲームは子供や若者の遊びだったが、今では家族みんなに親しまれるものになっている。家族が一緒にゲームをすれば、会話も増えるかもしれない。
　　ファミコンは、今はもう売られていないが、家庭用ゲーム機の基礎を作ったと言える。

1. 例)（○）ファミコンは有名なコンピューターゲーム機だった。
　　1)（　）ファミコンはファミリーコンピューターを短くした言い方だ。
　　2)（　）ファミコンは丈夫だ。
　　3)（　）お年寄りは今もコンピューターゲームで遊ばない。

2. あなたはゲームをしますか。どんなゲームをしますか。いちばん好きなゲームは何ですか。

38 猿に注意しろという意味です

CD-31

ジョーダン：あの標識は何ですか。
渡辺　　：猿に注意しろという意味です。
ジョーダン：へえ、猿がいるんですか。
渡辺　　：ええ。木村さんも、この辺は猿が多いから、気をつけたほうが
　　　　　いいと言っていました。
ジョーダン：何か問題があるんですか。
渡辺　　：食べ物を取られたと言っていましたよ。
ジョーダン：開発が進んで、えさがなくなったから、人間のものを取るん
　　　　　じゃないですか。猿も大変ですね。

1.

	辞書形	命令形	禁止形		辞書形	命令形	禁止形
I	かう	かえ	かうな	II	たべる	たべろ	たべるな
	かく	かけ	かくな		みる	みろ	みるな
	いそぐ	いそげ	いそぐな		かりる	かりろ	かりるな
	はなす	はなせ	はなすな		*くれる	くれ	くれるな
	まつ	まて	まつな	III	くる	こい	くるな
	しぬ	しね	しぬな		する	しろ	するな
	あそぶ	あそべ	あそぶな				
	よむ	よめ	よむな				
	とる	とれ	とるな				

みんな、がんばれ。

いそげ。

中に はいるな。

ここで さわぐな。

2. 答えを ［ かき / えらび ］なさい。

3. これは ［ はいるな / ただしい / OKだ ］という意味です。

A：これはどういう意味ですか。
B：入るなという意味です。

4. アランさんは ［ 友達に あう / 国へ かえらない / テニスを しよう ］と言っていました。

38

CD-32

1-1. 行け。

| 例) | 1) | 2) | 3) | 4) |

1-2. 落書きするな！

例) 1) 2) 3) 4)

1-3. 頑張れ。

例) 頑張ります　1) 行きます　2) 走ります
3) 負けません　4) 止まりません　5) シュートします

2.

何やってるの。早くしなさい。

はあい。

3-1. これはたばこを吸うなという意味です。

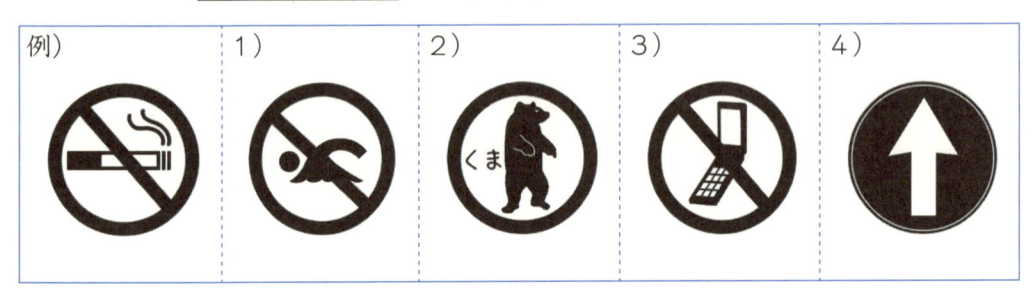

3-2. A：これはどういう意味ですか。

B：ドライクリーニングができないという意味です。

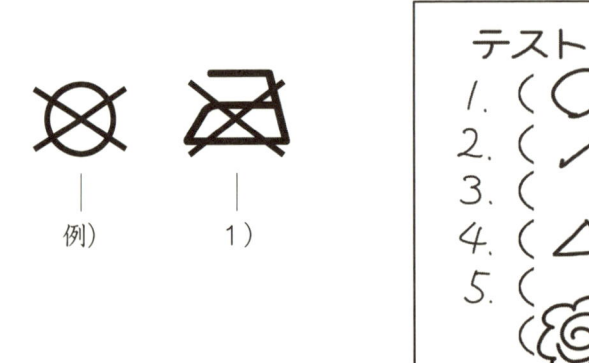

4. A：さっきアランさんから電話がありましたよ。
　　B：そうですか。何と言っていましたか。
　　A：来週国へ帰ると言っていました。

例）来週国へ帰ります
1）あした会いたいです　　2）またあとで電話します
3）Bさんに荷物を送りました　　4）少し遅れるかもしれません
5）今度一緒に食事をしましょう　　6）(　　　　　)

使いましょう 1

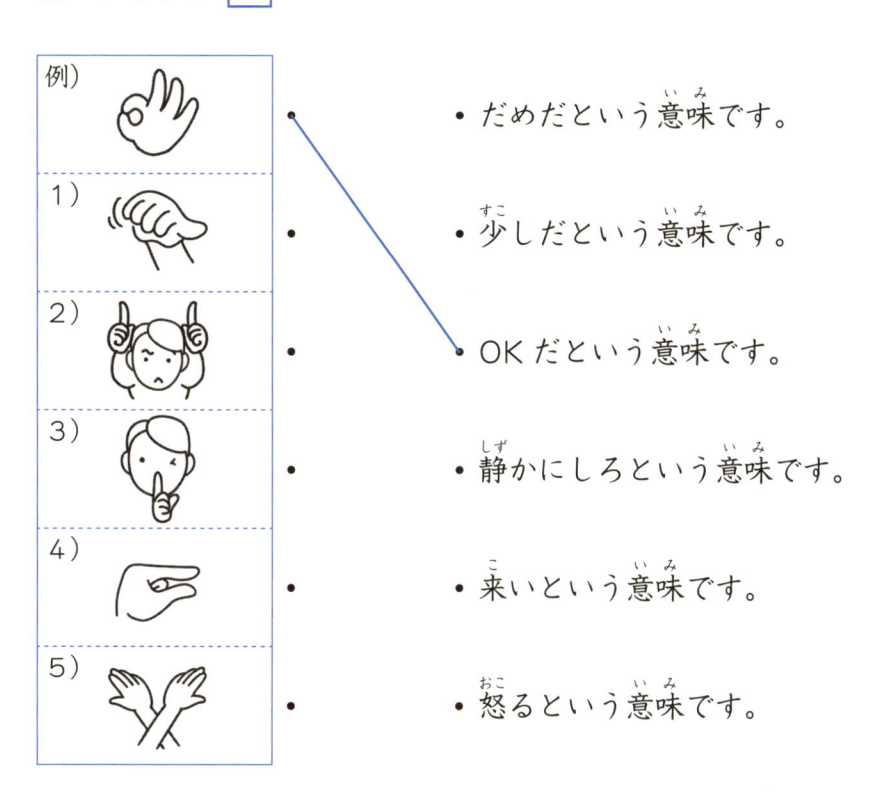

例）	・だめだという意味です。
1）	・少しだという意味です。
2）	・OKだという意味です。
3）	・静かにしろという意味です。
4）	・来いという意味です。
5）	・怒るという意味です。

あなたの国のボディーランゲージを紹介してください。

　　　　　　は（　　　　　）という意味です。

使いましょう 2

> 授業中大きい地震が起きたら、どうしたらいいですか。すぐ外へ出ろと言う人と、まず机の下に入れと言う人がいます。どちらが正しいと思いますか。大きい地震が起きた場合、すぐ外へ出ると、上から看板やガラスが落ちて来て、けがをする可能性があります。それに、大きい地震でも、少したてば、たいてい揺れが小さくなります。ですから、机の下などに入って、自分を守ることがいちばん大切だと言われています。

1) 大きい地震が起きたとき、すぐ外へ出ることと机の下に入ることと、どちらが正しいと言われていますか。

2) どうしてですか。理由を書きなさい。

3) 自然災害が起きたとき、水と食べ物の次に大切なものは何だと思いますか。理由も書きなさい。

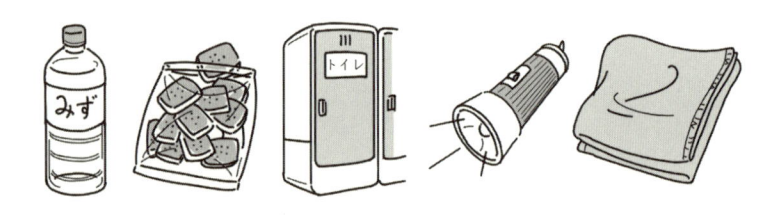

39 旅行のとき使おうと思って買ったのに……

CD-33

木村：キムさん、あしたから旅行ですね。

キム：はい、それで新しいカメラを買ったんですが、調子が悪くて修理中なんです。旅行のとき使おうと思って買ったのに……。

木村：買ったばかりなのに、壊れたんですか。

キム：ええ、電源を入れると、すぐエラーになってしまうんです。どうもスイッチの部分が悪いようです。直すのに1週間ぐらいかかると言われました。

木村：そうですか。じゃ、わたしのを貸しましょうか。

キム：いいんですか。

木村：ええ、いい写真をたくさん撮って来てください。

キム：はい。ありがとうございます。

39

1. マリーさんは [　　つかれている / もう　でかけた / 毎日　いそがしい / 野菜が　きらいな / るすの] ようです。

2. 山川さんは [よく　べんきょうして　いる / 頭が　　　　　　いい / 　　　　　　　まじめな / いい　　　がくせいな] のに、成績がよくないです。

3. ナルコさんは [けっこんした / 日本へ　きた] ばかりです。

CD-34

1-1. 留守のようです。

1-2. A：人がたくさん集まっていますね。
　　　 B：ええ、りんごを配っているようですね。

1-3. A：足跡がありますね。
　　　 B：そうですね。くまが入ったようですね。

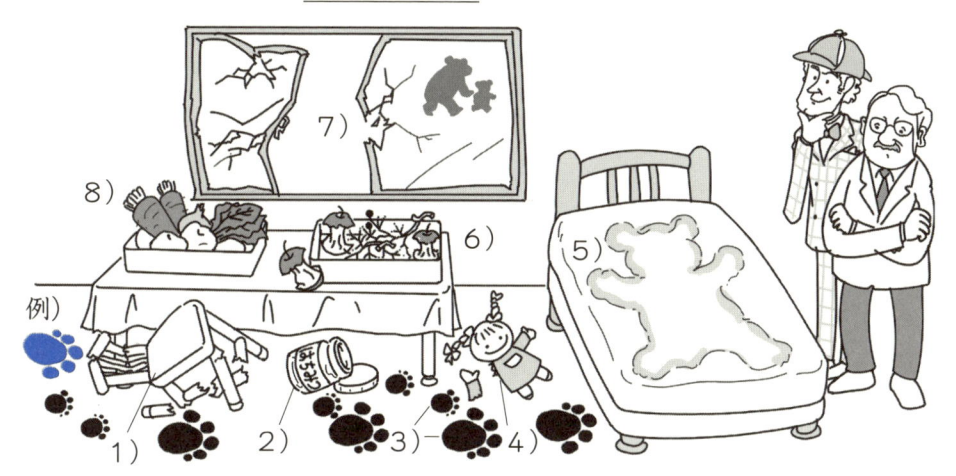

105

2-1. お金を入れたのに、切符が出ません。

例) 切符が出ません
1) 給料が少ないです
2) テストの点が悪かったです
3) 仕事をしなければなりません
4) 傘をさしていません
5) 席を譲りません

2-2. A：最近彼女とうまくいってる？
B：ううん、プレゼントをたくさんあげたのに、振られちゃった。
A：そうか。それは残念だったね。

例) プレゼントをたくさんあげました
1) いつも宿題を手伝ってあげました
2) 3年つきあいました
3) 何回もプロポーズしました
4) 毎日お弁当を作ってあげました
5) (　　　　　　　　　　)

39

3-1. 免許を取ったばかりです。

例) 1) 2) 3) 4)

3-2. ⬆ 免許を取ったばかりなので、運転が下手です。

3-3. 掃除したばかりなのに、(犬に汚されました)。
　　　例) 掃除しました
　　　1) さっき名前を聞きました
　　　2) 先月結婚しました
　　　3) 新しい自転車を買いました
　　　4) お金を下ろしました

3-4. 🎤 A：日本へ来たばかりのとき、困ったことは何ですか。
　　　　　B：(レストランでメニューが分からなかった) ことです。

	わたし	(B) さん	( ) さん
例) 困ったこと		メニュー	
1) うれしかったこと			
2) びっくりしたこと			

107

使いましょう

> A子さんは大学卒業後中国に留学して、去年帰国しました。そして、商社に就職しました。会社にも期待されて、専門知識と中国語を生かしてばりばり働いているのに、仕事を続けるかどうか、今悩んでいるそうです。

1) 女性が仕事を続けるかどうか、悩む理由は何だと思いますか。話し合ってください。

2) それについて、どう思いますか。

1) 悩む理由	2) 意見	
・結婚相手が仕事を続けることに反対した。	辞めたほうがいい／ 辞めないほうがいい	・結婚する相手とよく話し合う。
・	辞めたほうがいい／ 辞めないほうがいい	・
・	辞めたほうがいい／ 辞めないほうがいい	・

40 息子を塾に行かせたいんですが……

木村：アンさん、何か心配なことがあるんですか。
レ　：ええ、実は息子を塾に行かせたいんですが、なかなかうんと言わないんです。
木村：そうですか。子供は自由に遊ばせたらどうですか。
レ　：でも、息子の友達はみんな塾に行っているし……。
　　　木村さんの息子さんはどうでしたか。
木村：うちの息子は塾に行きませんでしたよ。よくプールへ行っていました。
　　　友達もたくさんできて、楽しそうでしたよ。
レ　：そうですか。
木村：やりたいことをやらせるのがいちばんいいんじゃないですか。
レ　：そうかもしれませんね。
　　　もう一度息子とよく話し合ってみます。

1.

辞書形	使役形		辞書形	使役形
I いう	いわせる	II	たべる	たべさせる
きく	きかせる		あける	あけさせる
いそぐ	いそがせる		いる	いさせる
はなす	はなさせる			
まつ	またせる			
しぬ	しなせる	III	くる	こさせる
あそぶ	あそばせる		する	させる
よむ	よませる			
つくる	つくらせる			

2. 先輩は ［後輩に トイレの 掃除を させます。
　　　　　後輩を 買い物に いかせます。］

3. 母は ［妹に 好きな お菓子を かわせます。
　　　　　妹を あそばせます。］

4. A: ［あした やすませて　　　］いただけませんか。
　　　　　会議室を つかわせて

　　B: ええ、いいですよ。どうぞ。

CD-36

1. 書く→書かせる
例) 書く　1) 行く　2) 言う　3) いる　4) 遊ぶ　5) 待つ
6) 片付ける　7) 来る　8) 練習する　9) 急ぐ　10) 作る

2-1. 先輩は後輩にボールを片付けさせます。

2-2. 先生は生徒を走らせます。

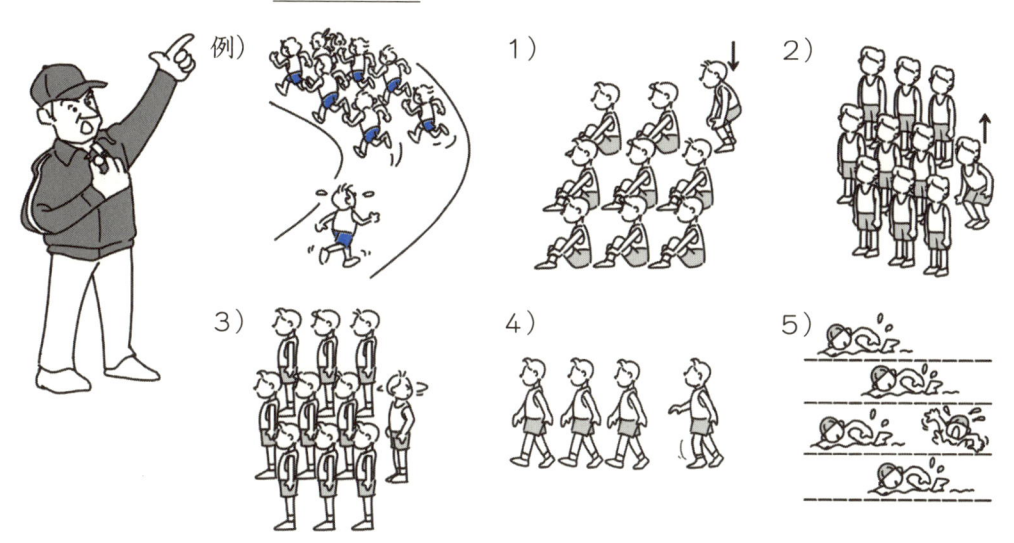

111

2-3. 🎤

A：(B)さん、何でもできるロボットがあったら、何をさせたいですか。

B：わたしはロボットに（地雷を探させ）たいです。Aさんは？

A：わたしは（お年寄りの世話をさせ）たいです。

A（わたし）	お年寄りの世話をする
例)（ B ）さん	地雷を探す
1)（　　）さん	
2)（　　）さん	
3)（　　）さん	

3-1. 母は妹に髪を染めさせました。
父は妹に髪を染めさせませんでした。

もしわたしが親になったら、娘に髪を染めさせません。

3-2.

A：高校生のとき、ご両親はしたいことをさせてくれましたか。

→ はい
B1：はい。
犬を飼わせてくれました。

→ いいえ
B2：いいえ。
犬を飼わせてくれませんでした。

犬を飼う・一人旅をする・バイクの免許を取る・
彼／彼女とつきあう・一人暮らしをする・
夜、遊びに行く・（　　　　　　）

例）（ B ）さん	(はい)・いいえ	犬を飼う
1）（　）さん	はい・いいえ	
2）（　）さん	はい・いいえ	
3）（　）さん	はい・いいえ	

4. A：部長、すみませんが、会議室を使わせていただけませんか。

B：ええ。いいですよ。

例）会議室を使う
1）もう一度調査に行く
2）あした休む
3）早退する
4）プロジェクトの資料をコピーする

使いましょう ディベート

テーマ：10歳の子供を塾に通わせることについて

B：賛成グループ　　A：テーマ　　C：反対グループ

D：ジャッジグループ

A：10歳の子供を塾に通わせることについて、どう思いますか。
B：わたしたちは通わせたほうがいいと思います。
　　（塾ではレベルが高いことを教えてくれる）からです。
C：わたしたちは通わせないほうがいいと思います。
　　（勉強以外に学ばなければならないことがある）からです。
A：それではジャッジグループ、お願いします。
D：わたしたちはBグループの意見のほうがいいと思います。

B：賛成グループ 理由 ①レベルが高いことを教えてくれる。 ② ③	C：反対グループ 理由 ①勉強以外に学ばなければならないことがある。 ② ③

ほかのテーマでディベートをしましょう。　P.187
1）3歳の子供に英語を習わせること
2）高校生にアルバイトをさせること

41 大学院で医学を研究なさいました

チャチャイ：皆さん、今年の文化祭のお客様はミリアム・セロン先生です。先生は10年前に日本の大学院で医学を研究なさいました。先生、よろしくお願いします。

セロン：こちらこそどうぞよろしく。

チャチャイ：先生は今どんな研究をしていらっしゃいますか。

セロン：マラリアのワクチンの研究をしています。

チャチャイ：ワクチンの開発の可能性について、どうお考えになりますか。

セロン：現在世界中で研究が行われています。簡単ではありませんが、必ず開発されると思います。

チャチャイ：わたしたちもその日が早く来ることを願っています。

1.

	尊敬動詞（普通形）	尊敬動詞（丁寧形）
いく		
くる	いらっしゃる	いらっしゃいます
いる		
～ている	～ていらっしゃる	～ていらっしゃいます
たべる	めしあがる	めしあがります
のむ		
いう	おっしゃる	おっしゃいます
みる	ごらんになる	ごらんになります
する	なさる	なさいます
くれる	くださる	くださいます
～てくれる	～てくださる	～てくださいます
しっている	ごぞんじだ	ごぞんじです

2. 先生はあしたロンドンへ いらっしゃいます。

3. 社長は5時に お[かえり／でかけ]になります。

4. どうぞ お[はいり／つかい]ください。

5.

	辞書形	尊敬形		辞書形	尊敬形
I	きく	きかれる	II	かける	かけられる
	つかう	つかわれる	III	くる	こられる
	よむ	よまれる		する	される

6. 社長は毎日8時に こられます。

① どんなものが お好きですか。

116

1. 行きます→いらっしゃいます

　　例）行きます　　1）食べます　　2）します　　3）言います
　　4）来ます　　5）見ます　　6）くれます　　7）知っています

2.

あした何時に来る？
新製品、もう見た？
会議の時間、知ってる？
報告書、読んでくれた？

例）あした何時にいらっしゃいますか。
1）新製品をもう_____。
2）会議の時間を_____。
3）報告書を読んで_____。

社長

3-1. 読みます→お読みになります

　　例）読みます　　1）帰ります　　2）出かけます　　3）待ちます
　　4）使います　　5）休みます　　6）会います　　7）乗ります

3-2.

A：日本でお世話になった木村さんがあなたの国へ来ます。何時に空港に着くか、どのホテルに泊まるか、ホテルの場所が分かるか、いつ日本へ帰るか、電話をかけて聞いてください。

B：あなたは木村さんです。去年帰国したAさんの国へ遊びに行きます。Aさんと電話で話してください。

3-3. 京都の1日

例) 王女様は、朝早くホテルからお出かけになりました。

1) 町をゆっくり_____。
2) 靴屋でスニーカーを_____。
3) 美容院で髪を_____。
4) アイスクリームを_____。
5) 疲れて、桜の木の下で_____。
6) 公園で太郎というピアニストに_____。
7) 2人で自転車に_____。
8) パーティーで_____。
 でも、夜、大臣が王女様を迎えに来ました。
9) 王女様は帰りたくないと_____。
10) 王女様は泣きながらホテルへ_____。

4-1. A：お客様、どうぞお入りください。　B：ありがとうございます。

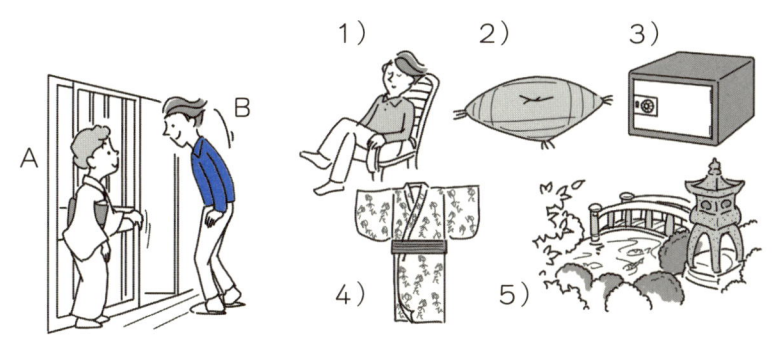

例）入る　1）こちらで休む　2）座布団を使う
3）貴重品を金庫に入れる　4）浴衣に着替える　5）庭の散歩を楽しむ

4-2.

例）気分の悪い方はお知らせください。
1）シートベルトを＿＿＿＿ください。
2）パンフレットを1部ずつ＿＿＿＿ください。
3）2列に＿＿＿＿＿＿ください。
4）少々＿＿＿＿＿＿ください。
5）ここで靴を＿＿＿＿ください。
6）廊下は静かに＿＿＿＿ください。

知らせる・待つ・歩く・並ぶ・取る・締める・脱ぐ

5. 話します → 話されます

例）話します　1）読みます　2）使います　3）聞きます　4）来ます
5）します　6）出かけます　7）降ります　8）帰ります

6.

社長のスケジュールは？

火曜日は会議に出られます。

社長のスケジュール
例) 火　会議に出る
1) 水　雑誌のインタビューを受ける
2) 木　支店長に会う
3) 金　ホンコンへ出張する

使いましょう

A：あなたはインタビュアーです。有名な（サッカー選手）のBさんに敬語でインタビューをしてください。

B：あなたは有名な（サッカー選手）です。Aさんのインタビューを受けてください。

例1) どこでお生まれになりましたか	ブラジル
例2) どんな食べ物がお好きですか。	豆腐サラダ
1)	
2)	
3)	

わたしは（B）さんにインタビューをしました。（B）さんはブラジルでお生まれになりました。豆腐サラダがお好きです。＿＿＿＿＿

いろいろな有名人になってみましょう。
ピアニスト・作家・政治家・俳優・学者・（　　　）

42 10年前に日本へ参りました

リン：皆様、本日はありがとうございます。私は10年前に日本へ参りました。スバル日本語学校を卒業後、ゆり大学に進学しました。大学卒業後、サミット旅行社に就職して、5年間勤めました。そして、皆様のおかげで本日旅行会社を始めることができました。皆様にご意見を伺いながら、新しい時代をリードする会社にしたいと思っております。どうぞよろしくお願いいたします。

木村：リンさん、おめでとうございます。

鈴木：みんな応援していますよ。

スミス：リンさん、頑張ってください。

リン：ありがとうございます。

1.

	謙譲動詞（普通形）	謙譲動詞（丁寧形）
いく	まいる	まいります
くる		
いる	おる	おります
～ている	～ておる	～ております
たべる	いただく	いただきます
のむ		
もらう		
～てもらう	～ていただく	～ていただきます
いう	もうす	もうします
みる	はいけんする	はいけんします
する	いたす	いたします
きく	うかがう	うかがいます
（うちへ）いく		
しっている	ぞんじておる	ぞんじております

2. A：あした何時にうちへ来ますか。
   B：3時に うかがいます。

3. 私が お ［ てつだい ／ もち ］ します。

   私が ご ［ せつめい ／ あんない ］ します。

CD-40

1. もらいます→頂きます

例）もらいます　1）食べます　2）聞きます　3）言います
4）行きます　5）します　6）（うちへ）行きます
7）います　8）見ます　9）知っています

2-1. 例）A：タンさん、お茶、いかがですか。
　　　　B：はい、頂きます。
1）A：いつ日本へ来ましたか。
　　B：去年の秋に＿＿＿＿＿＿＿＿＿＿。
2）A：ご家族と一緒に日本へ来ましたか。
　　B：いいえ、家族は国に＿＿＿＿＿＿＿＿。
3）A：今度うちへ遊びに来ませんか。
　　B：ありがとうございます。＿＿＿＿＿＿＿＿＿。
4）A：うちの場所を知っていますか。
　　B：はい、＿＿＿＿＿＿＿＿。

2-2.

　初めまして。私は（タン・ズイチン）と申します。（マレーシア）から参りました。今、（大学院で建築学を専攻して）おります。将来（国へ帰って、都市計画の仕事をしたい）と思っております。（アジアの国々を結ぶ高速道路を作るの）が私の夢です。これから皆様にいろいろ教えていただいて、頑張りたいと思います。どうぞよろしくお願いいたします。

3-1. お手伝いしましょうか。

3-2. 例) A：今度のプレゼンテーションの時間はだれが連絡してくれるの？
B：私がご連絡します。
1) A：工場見学はだれが案内してくれるの？
B：私が＿＿＿＿＿＿＿＿＿＿。
2) A：新製品について、だれが紹介してくれるの？
B：私が＿＿＿＿＿＿＿＿＿＿。
3) A：詳しい説明もしてくれるの？
B：はい、私が＿＿＿＿＿＿＿＿＿ことになりました。

使いましょう 1　入学試験の面接

例) お名前は？	イ・ミジャと申します。
1) お国はどちらですか。	
2) いつ日本へいらっしゃいましたか。	
3) どうして日本へ留学しようと思われましたか。	
4) なぜこの大学を選ばれたんですか。	
5) 将来どんな仕事をしたいと思っていらっしゃいますか。	

使いましょう 2 電話

1) 相手がいる場合

A：はい、(スバル建設)です。
B：あのう、(サミット銀行)の(アラン・マレ)と申しますが、(山田課長)はいらっしゃいますか。
A：はい、少々お待ちください。
B：はい。すみません。

2) 相手がいない場合

A：はい、(スバル建設)です。
B：あのう、(サミット銀行)の(アラン・マレ)と申しますが、(山田課長)はいらっしゃいますか。
A：すみません。今ちょっと席を外しておりますが……。

またあとで電話する

B：じゃ、またあとでお電話します。

伝言を頼む

B：そうですか。じゃ、すみませんが、伝言をお願いできますか。
A：はい。
B：(あした2時に打ち合わせに伺う)とお伝えください。
A：はい、分かりました。(サミット銀行のアラン・マレ)様ですね。
B：はい、そうです。よろしくお願いします。

使いましょう 3 📝 メール

あて先：木村春江様
件名　：ごぶさたしております（マリー）
木村様 ごぶさたしておりますが、お元気ですか。 送っていただいた交流パーティーの写真、拝見しました。ありがとうございました。東京の生活が懐かしくなりました。 こちらへ来て3か月たちました。大学の勉強は大変ですが、友達もたくさんできて、毎日楽しく過ごしております。 松山は景色もいいし、食べ物もおいしいし、とてもいいところです。 私がご案内しますから、ぜひ遊びにいらっしゃってください。 夏休みになったら、東京へ参ります。 そのときはお宅へごあいさつに伺いたいと思っております。またご連絡します。 マリー・スミス

メールを書きましょう

あて先：
件名　：
（　　　　　）様 ごぶさたしておりますが、お元気ですか。 （..）

まとめ 8 （38—42）

1.

	命令形	禁止形	使役形	尊敬形
つかう	つかえ	1)	2)	3)
あける	4)	あけるな	5)	6)
する	7)	8)	させる	9)
くる	10)	11)	12)	こられる

2.

例) あの子供、トイレに行きたいようです。

1) すみません。写真を_____いただけませんか。

2) 子供に_____てはいけないよ。

3) ここは_____のに。

4) そのバイク、_____！

5) わたしにもちょっと_____て。

飲みたい。

3.

1) 社長、コーヒーを＿＿＿＿＿ましょうか。 — ありがとう。

2) 部長に＿＿＿＿＿＿＿。 — うん、さっき会ったよ。

3) この資料はもう＿＿＿＿＿＿＿か。 — いや、まだ見てない。あとで見るよ。

4) タクシーを＿＿＿＿＿ましょうか。 — いや、歩いて行くから。

5) あした、何時に会社に＿＿＿＿＿ますか。 — 10時ごろ来るよ。

4.

　日本に来て、もうすぐ1年です。日本に来たばかりのとき、言葉が分からなくて、よくホームシックになりました。そんなとき、いろいろな方が元気づけてくださいました。本当に感謝しております。今は日本語で言いたいことが話せるようになって、生活が楽しくなりました。これから夢に向かって頑張りたいと思います。どうぞ皆さんもお元気で。またお会いしましょう。

巻末

1. 資料
2. 索引
3. 学習項目一覧
4. インフォメーションギャップと
　　ロールプレイ

1. 資料

⑬ 数え方

	一個(こ)	一冊(さつ)	一部(ぶ)	一杯(はい/ばい/ぱい)	一匹(ひき/びき/ぴき)
1	いっこ	いっさつ	いちぶ	いっぱい	いっぴき
2	にこ	にさつ	にぶ	にはい	にひき
3	さんこ	さんさつ	さんぶ	さんばい	さんびき
4	よんこ	よんさつ	よんぶ	よんはい	よんひき
5	ごこ	ごさつ	ごぶ	ごはい	ごひき
6	ろっこ	ろくさつ	ろくぶ	ろっぱい	ろっぴき
7	ななこ	ななさつ	ななぶ	ななはい	ななひき
8	はっこ	はっさつ	はちぶ	はっぱい	はっぴき
9	きゅうこ	きゅうさつ	きゅうぶ	きゅうはい	きゅうひき
10	じゅっこ	じゅっさつ	じゅうぶ	じゅっぱい	じゅっぴき
?	なんこ	なんさつ	なんぶ	なんばい	なんびき
	24	24	41	32	

	一泊(はく/ぱく)	一点(てん)
1	いっぱく	いってん
2	にはく	にてん
3	さんぱく	さんてん
4	よんはく	よんてん
5	ごはく	ごてん
6	ろっぱく	ろくてん
7	ななはく	ななてん
8	はっぱく	はってん
9	きゅうはく	きゅうてん
10	じゅっぱく	じゅってん
?	なんぱく	なんてん
	25	33

⑭ 単位

mm	ミリ（メートル）		g	グラム
cm	センチ（メートル）		kg	キロ（グラム）
m	メートル		t	トン
km	キロ（メートル）			

m²	平方メートル
km²	平方キロ（メートル）

cc	シーシー		秒	
l	リットル		分	
m³	立方メートル		時間	

%	パーセント		℃	度

⑮ い形容詞・な形容詞・名詞の形

い形容詞	な形容詞	名詞	
おおきくて	しずかで	やすみで	(11)
おおきかったら	しずかだったら	やすみだったら	(21)
おおきくなかったら	しずかじゃなかったら	やすみじゃなかったら	
おおきく	しずかに	やすみに	〜なります (23)
			〜します (31)
おおきく	しずかに		〜V (28)
おおきければ	しずかなら	やすみなら	(33)
おおきくなければ	しずかじゃなければ	やすみじゃなければ	
おおき	しずか		〜すぎます (31)
			〜そうです (37)

131

⑯ 普通形を使う文型

動詞	い形容詞	な形容詞
かく	おおきい	しずかだ
かかない	おおきくない	しずかじゃない
かいた	おおきかった	しずかだった
かかなかった	おおきくなかった	しずかじゃなかった
かく	おおきい	しずか
かかない	おおきくない	しずかじゃない
かいた	おおきかった	しずかだった
かかなかった	おおきくなかった	しずかじゃなかった
かく	おおきい	しずかな
かかない	おおきくない	しずかじゃない
かいた	おおきかった	しずかだった
かかなかった	おおきくなかった	しずかじゃなかった
かく	おおきい	しずかな
かかない	おおきくない	しずかじゃない
かいた		
かかなかった		
かく	おおきい	しずかな
かかない	おおきくない	しずかじゃない
かいた	おおきかった	しずかだった
かかなかった	おおきくなかった	しずかじゃなかった

巻末 1. 資料

名詞	
やすみだ やすみじゃない やすみだった やすみじゃなかった	～とおもいます (19)　～といいました (19) ～からです (23)　～とおもっています (27) ～そうです (28)　～し、～ (29) ～といういみです (38)　～といっていました (38)
やすみ やすみじゃない やすみだった やすみじゃなかった	～でしょう (23) * ～か（どうか）(25) ～かもしれません (32) ～でしょう (33) **
やすみな やすみじゃない やすみだった やすみじゃなかった	～ので (25) ～んです (27)　～んですが、～ (27) ～んじゃないですか (33) ～のを～ (34)　～のに (39)
やすみの やすみじゃない	～とき (26)
やすみの やすみじゃない やすみだった やすみじゃなかった	～ようです (39)

* 新しい部屋は気持ちがいいでしょう。
** あしたは晴れるでしょう。

巻末
1. 資料

⑰ いろいろな文型の普通形

丁寧形	普通形
（Vます形）ましょう　　　　　　（8）	V意向形
（Vます形）ましょうか　　　（13・28）	V意向形か
～からです　　　　　　　　　　（23）	～からだ
（Vない形）なければなりません　（26）	（Vない形）なければならない
～んです　　　　　　　　　　　（27）	～んだ
～そうです　　　　　　　　　　（28）	～そうだ
（Vた形・ない形）ほうがいいです（32）	（Vた形・ない形）ほうがいい
～かもしれません　　　　　　　（32）	～かもしれない
～でしょう　　　　　　　　　　（33）	～だろう＊
（Vます形）にくい・やすいです　（35）	（Vます形）にくい・やすい
（Vます形／いA⎯⎯／なAな）そうです　　　　　　　　　　　（37）	（Vます形／いA⎯⎯／なAな）そうだ
（V辞書形／て形いる／た形）ところです　　　　　　　　　　（37）	（V辞書形／て形いる／た形）ところだ
（Vた形）ばかりです　　　　　　（39）	（Vた形）ばかりだ
～ようです　　　　　　　　　　（39）	～ようだ＊

＊　「～だろう」と「～ようだ」は教科書では勉強していません。

⑱ 友達の会話

(て形) います	書いています。 読んでいます。	書いてる。 読んでる。
(て形) いません	書いていません。 読んでいません。	書いてない。 読んでない。
(ない形) なければなりません。	書かなければなりません。	書かなきゃ。
〜んですか。	書くんですか。	書くの？
〜んです。	書くんです。	書くんだ。
(ます形) ましょうか。	書きましょうか。	書こうか。
(て形) おいてください。	書いておいてください。 読んでおいてください。	書いといて。 読んどいて。
(て形) しまいました。	書いてしまいました。 読んでしまいました。	書いちゃった。 読んじゃった。
〜と〜	〜と言いました。	〜って言った。

巻末 1. 資料

⑲ 他動詞・自動詞

巻末
1. 資料

9	開ける	暑いので、窓を開けた。
23	開く	ドアの前に立つと、ドアが開く。
15	集める	研究のためにデータを集める。
39	集まる	パーティーに人がたくさん集まった。
15	入れる	肉をなべに入れる。
5	入る	耳に水が入る。
35	売る	来月から新製品を売る。
33	売れる	夏はアイスクリームがたくさん売れる。
36	起こす	子供を起こす。
5	起きる	毎朝7時半に起きる。
21	落とす	木に登って、果物を落とす。
28	落ちる	地震でビルからガラスが落ちた。
17	折る	子供が木の枝を折る。
28	折れる	台風で木の枝が折れた。
29	変える	旅行の予定を変える。
まとめ5	変わる	学食のメニューが変わる。
31	かける	出かけるとき、かぎをかける。
28	かかる	ドアを閉めると、かぎがかかる。
31	掛ける	壁に好きな絵を掛ける。
まとめ6	掛かる	神社に木の板がたくさん掛かっている。
20	決める	レポートのテーマを決める。
29	決まる	試験に合格して、就職が決まった。
15	切る	野菜を小さく切る。
28	切れる	風で電線が切れた。
14	消す	部屋を出るとき、電気を消す。
23	消える	トイレから出ると、電気が消える。
20	壊す	機械でビルを壊す。
21	壊れる	地震でビルが壊れた。

31	閉める	寒いので、窓を閉めた。
28	閉まる	強い風でドアが閉まった。
31	出す	かばんから本を出す。
23	出る	ボタンを押すと、切符が出る。
22	つける	暗いので、電気をつけた。
28	つく	トイレに入ると、電気がつく。
27	続ける	音楽の活動を続ける。
23	続く	9月まで乾季が続く。
16	止める	使わないとき、水道を止める。
27	止まる	地震で水道が止まった。
21	なくす	携帯電話をなくした。
19	なくなる	将来、石油がなくなる。
29	泊める	友達をうちに泊める。
12	泊まる	日本人のうちに泊まる。
15	並べる	テーブルにお皿を並べる。
17	並ぶ	バス停に人がたくさん並んでいる。
14	始める	ブログを始める。
5	始まる	11時に映画が始まる。
34	間違える	帰るとき、傘を間違えた。
38	間違う	答えが間違っている。
16	焼く	昔の恋人の写真を焼く。
37	焼ける	火事でアパートが焼ける。
まとめ7	汚す	ソースで服を汚した。
28	汚れる	工場ができて、川が汚れた。
24	割る	片手で卵を割る。
21	割れる	卵は落とすと、割れる。

巻末

1. 資料

2. 索引

あ

あ		12
あいさつ		30
アイスクリーム		**まとめ5**
あいだ　間		8
あいて　相手		34
アイロン		38
あう（ともだちに〜）		
会う（友達に〜）		6
あう（じこに〜）		
遭う（事故に〜）		21
あおい　青い		7
あか　赤		12
あかい*　赤い		7
あかちゃん　赤ちゃん		37
あがる　上がる		15
あかるい（〜へや）		
明るい（〜部屋）		11
あかるい（〜ひと）		
明るい（〜人）		29
あき　秋		11
あきらめる		33
あく　開く		23
あくしゅ　握手		18
アクセサリー		40
あける　開ける		9
あげる（プレゼントを〜）		10
あげる（てを〜）		
挙げる（手を〜）		35
あさ　朝		5
あさごはん*　朝ご飯		4
あさって*		4
あさねぼう　朝寝坊		21
あし　足		11
あじ　味		28
あしあと　足跡		39
あした		4
あずける　預ける		23
あそこ		3
あそび　遊び		32
あそぶ　遊ぶ		13
あたたかい　暖かい		11
あたためる　温める		30
あたま　頭		11
あたらしい　新しい		7
あたる　当たる		32
あちら*		22
あつい（〜なつ）　暑い（〜夏）		9
あつい（〜かみ）*		
厚い（〜紙）		28
あつまる　集まる		39
あつめる　集める		15
あてさき　あて先		42
あとかたづけ　後片付け		37
〜あとで		18
あとで		37
アドバイス		27
アドレス		17
あな　穴		28
アナウンス		9
あなた		**まとめ3**
あに　兄		9
アニメ		7
あね　姉		9

138

あの	2
あのう	16
アパート	7
あびる ［シャワーを〜］	
浴びる ［シャワーを〜］	14
あぶない（うみは〜）	
危ない（海は〜）	15
あぶない（〜ざっし）	
危ない（〜雑誌）	31
あぶら　油	23
あまい（〜ジュース）	
甘い（〜ジュース）	9
あまい（〜おや）　甘い（〜親）	21
あまぐ　雨具	まとめ5
あまり	7
あみだな　網棚	34
あめ　雨	9
あやまる　謝る	17
あらう　洗う	13
あらわす　表す	37
ありがとう。	12
ありがとうございます。	
	はじめましょう 13
ある〜	まとめ4
ある（つくえが〜）	
ある（机が〜）	8
ある（じかんが〜）	
ある（時間が〜）	9
ある（しあいが〜）	
ある（試合が〜）	17
あるいて　歩いて	6
あるく　歩く	19
アルバイト	5
アルバイトだい　アルバイト代	33
あれ（〜はなんですか）	
あれ（〜は何ですか）	2

あれ（〜、このどうぶつは…）	
あれ（〜、この動物は…）	24
アレルギー	27
あん　案	32
アンケート	20
アンケートちょうさ	
アンケート調査	26
あんぜん［な］　安全［な］	29
あんな *	24
あんない　案内	31

い

いい	7
いいえ	1
いいえ、こちらこそ。	22
いいえ、わかりません。	
いいえ、分かりません。　はじめましょう	
いいですね。	6
いいですよ。	15
いいなあ。	20
いいんかい　委員会	31
いいんですか。	35
いう　言う	15
いえ　家	21
〜いか　〜以下	21
いか	28
〜いがい　〜以外	40
いかがですか。	24
いがく　医学	41
いかす　生かす	33
いきる　生きる	36
いく（ぎんこうへ〜）	
行く（銀行へ〜）	6
いく（例：いけ。）	
行く（例：行け。）	38
いくつ	10

巻末 2. 索引

139

いくら	3
いけ　池	17
いけばな　生け花	14
いけん　意見	32
いじめる	38
いしゃ　医者	19
〜いじょう*　〜以上	21
いじょうです。　以上です。	20
いじわる［な］　意地悪［な］	37
いす	8
いそがしい*　忙しい	8
いそぐ　急ぐ	15
いた　板	35
いたい　痛い	13
いたす	42
いただきます。	はじめましょう 15
いただく　頂く	32
いち　一	はじめましょう 3
いちご	11
いちねん　1年	11
いちばん	7
いつ	6
いつか　5日	6
いつがいいですか。	18
いっしょうけんめい　一生懸命	29
いっしょに　一緒に	6
いつつ　5つ	10
いつでもいいです。	18
いっぱい	39
いつも	4
いど　井戸	30
いなか　田舎	29
いぬ　犬	8
いぬごや　犬小屋	30
いま　今	5
いまでは　今では	まとめ7
いまなんじですか。	
今何時ですか。	はじめましょう
いみ　意味	38
いもうと　妹	9
いもうとさん　妹さん	9
いや［な］　嫌［な］	36
いや	まとめ8
いよいよ	31
いらっしゃい。	37
いらっしゃいませ。	10
いらっしゃる	41
いる（がくせいが〜）	
いる（学生が〜）	8
いる（がくせいしょうが〜）	
要る（学生証が〜）	26
イルカ	24
いれる（にくを〜）	
入れる（肉を〜）	15
いれる（コーヒーを〜）	
入れる（コーヒーを〜）	16
いれる（でんげんを〜）	
入れる（電源を〜）	26
いろ　色	10
いろいろ［な］	まとめ2
〜いん　〜員	1
インターネット	5
インターンシップ	22
インタビュアー	41
インタビュー	24
インタビューシート	24
インフルエンザ	19

う

ウール	39
ううん	17

うーん		9
うえ　上		8
ウエートレス		27
うえる　植える		30
うがい		32
うかがう　伺う		42
うき　雨季		23
うけつけ　受付		3
うける［しけんを～］		
受ける［試験を～］		17
うける（めんせつを～）		
受ける（面接を～）		24
うごく　動く		24
うさぎ		30
うしろ　後ろ		8
うすい　薄い		28
うた　歌		9
うたう　歌う		8
うたがう　疑う		36
うち		4
うちあわせ　打ち合わせ		42
うちゅう　宇宙		20
うちゅうステーション		
宇宙ステーション		20
うつくしい　美しい		36
うどん		2
うまくいく		39
うまれる　生まれる		20
うみ*　海		7
うら　裏		35
うらやましい		27
うる　売る		35
うるさい		11
うれしい		22
うれる　売れる		33
うん		14
うんてんする　運転する		17
うんという　うんと言う		40
うんどう　運動		20

え

え　絵		9
エアコン		3
えいが　映画		4
えいぎょうする　営業する		29
えいご　英語		9
えいよう　栄養		29
ええ		6
ええと		8
A4		31
えき　駅		3
えきまえ　駅前		35
えさ		17
えだ　枝		17
えっ		18
えはがき　絵はがき		10
エラー		39
えらぶ　選ぶ		**まとめ6**
エレベーター		8
―えん　―円		3
エンジニア		1
エンジン		21

お

お～*		32
おいしい		7
おいしいですね。		3
おいしゃさん　お医者さん		19
おうえんする　応援する		42
おうさま　王様		17
おうじょさま　王女様		41
おおい　多い		11

巻末
2. 索引(さくいん)

おおきい　大きい		7
OK		38
おおぜい　大勢		35
おかあさん　お母さん		9
おかえりなさい。		
お帰りなさい。		34
おかげ		42
おかし　お菓子		16
おかね　お金		4
おきゃくさん　お客さん		**まとめ6**
おきる（7じに〜）		
起きる（7時に〜）		5
おきる（じしんが〜）		
起きる（地震が〜）		21
おく（にもつを〜）		
置く（荷物を〜）		16
おく（1〜えん）　億（1〜円）		
		資料① 30
おくさん　奥さん		10
おくに　お国		1
おくにはどちらですか。		
お国はどちらですか。		1
おくる　送る		10
おくれる　遅れる		25
おげんきで。　お元気で。		22
おげんきですか。		
お元気ですか。		22
おこす　起こす		36
おこなう　行う		36
おこる　怒る		17
おさきに。　お先に。		34
おさけ　お酒		4
おさら　お皿		13
おじいさん*		16
おしえる　教える		10
おしゃべり		21

おしろ　お城		16
おす　押す		17
おすもうさん　お相撲さん		5
おせわになりました。		
お世話になりました。		22
おせわになる　お世話になる		41
おそい（はしるのが〜）*		
遅い（走るのが〜）		11
おそい（くるのが〜）		
遅い（来るのが〜）		37
おだいじに。　お大事に。		19
おたく　お宅		42
おちてくる　落ちて来る		38
おちゃ（ちゅうごくの〜）		
お茶（中国の〜）		3
おちゃ（〜をならう）		
お茶（〜を習う）		10
おちる　落ちる		28
おっしゃる		41
おっと　夫		10
おてつだい　お手伝い		16
おてら　お寺		6
おと　音		28
おとうさん　お父さん		9
おとうと　弟		9
おとうとさん　弟さん		9
おとこ* 　男		8
おとこのこ　男の子		8
おとこのひと　男の人		8
おとしより　お年寄り		**まとめ7**
おとす　落とす		21
おととい*		5
おととし		**資料④**
おとな　大人		24
おどり　踊り		16
おどる　踊る		8

おどろく　驚く	まとめ4
おなか	23
おなかがすきました。	13
おなじ〜　同じ〜	まとめ4
おなまえ　お名前	1
おなまえは？　お名前は？	1
おにいさん　お兄さん	9
おにぎり	12
おねえさん　お姉さん	9
おねがい　お願い	35
おばあさん＊	16
おばけ　お化け	まとめ6
おはようございます。	はじめましょう5
おひめさま　お姫様	16
おふろ　お風呂	5
おべんとう　お弁当	4
おぼえる　覚える	25
おまつり　お祭り	6
おみあいする　お見合いする	9
おみまい　お見舞い	27
おみやげ　お土産	8
おめでとう。	まとめ4
おめでとうございます。	42
おめん　お面	32
おもい　重い	12
おもいだす　思い出す	18
おもう　思う	19
おもしろい　面白い	7
おや　親	21
おやこどん　親子どん	2
おゆ　お湯	17
およぐ　泳ぐ	5
おりがみ　折り紙	24
おりる（とうきょうで〜）＊ 降りる（東京で〜）	14

おりる（やまを〜） 下りる（山を〜）	まとめ5
オリンピック	36
おる（えだを〜） 折る（枝を〜）	17
おる（かぞくはくにに〜） おる（家族は国に〜）	42
おれる　折れる	28
おろす［おかねを〜］ 下ろす［お金を〜］	4
おわりましょう。 終わりましょう。	はじめましょう
おわる　終わる	5
おんがく　音楽	4
おんせん　温泉	6
おんな＊　女	8
おんなのこ　女の子	8
おんなのひと　女の人	8

か

か　蚊	36
〜か　〜家	41
〜が、〜。（ひろいです〜、きれいじゃありません。） 〜が、〜。（広いです〜、きれいじゃありません。）	7
〜が、〜。（しゅっちょうするんです〜、いいホテルをおしえてください。） 〜が、〜。（出張するんです〜、いいホテルを教えてください。）	27
カーテン	28
カード	10
カーペット	23
一かい／がい　―階	3
〜かい　〜会	5
一かい　一回	18

143

巻末
2.
索引（さくいん）

かいがい　海外	30	
かいぎ　会議	27	
かいぎしつ　会議室	3	
がいこく　外国	31	
かいしゃ　会社	はじめましょう	16
かいしゃいん　会社員	1	
がいしょく　外食	29	
かいだん　階段	27	
かいちゅうでんとう　懐中電灯	28	
かいてください。		
書いてください。	はじめましょう	
かいてんずし　回転ずし	まとめ6	
ガイドブック	26	
かいはつする　開発する	29	
かいもの　買い物	9	
かいわ　会話	5	
かう（パンを～）		
買う（パンを～）	4	
かう（ペットを～）		
飼う（ペットを～）	25	
カウンセラー	27	
かえす　返す	13	
かえる（うちへ～）		
帰る（うちへ～）	6	
かえる（システムを～）		
変える（システムを～）	29	
かお*　顔	11	
かがくしゃ　科学者	20	
かかる（じかんが～）		
かかる（時間が～）	12	
かかる[かぎが～]	28	
かかる（かべにおさらが～）		
掛かる（壁にお皿が～）	まとめ6	
かぎ	28	
かきとめ　書留	10	

かく（なまえを～）		
書く（名前を～）	4	
かく[えを～]		
かく[絵を～]	9	
がくしゃ　学者	41	
がくしょく　学食	29	
かくす　隠す	31	
がくせい　学生	1	
かくにんする　確認する	25	
がくひ　学費	11	
～がくぶ　～学部	11	
―かげつ　―か月	12	
かける［でんわを～］		
かける［電話を～］	10	
かける（しょうゆを～）	17	
かける［めがねを～］		
掛ける［眼鏡を～］	20	
かける［かぎを～］	31	
かける（かべにえを～）		
掛ける（壁に絵を～）	31	
かける［アイロンを～］	38	
かける［パーマを～］	40	
―かこく　―か国	24	
かさ　傘	2	
かざる　飾る	31	
かし　菓子	16	
かしだし　貸し出し	26	
かしだしカード		
貸し出しカード	26	
かす　貸す	10	
かず　数	37	
ガス	18	
ガスがいしゃ　ガス会社	18	
かぜ（～をひく）		
風邪（～を引く）	19	

かぜ（～がふく） 風（～が吹く）		28
かぞく　家族		9
～かた　～方		13
かた　方		41
かたかな　片仮名		9
かたづける　片付ける		31
かたて　片手		24
カタログ		2
かちょう　課長		36
かつ*　勝つ		34
―がつ　―月		6
がっかい　学会		26
がっかりする		34
かっこいい		25
がっこう　学校	はじめましょう	1
がっしゅく　合宿		26
かつどう　活動		27
かっぱつ［な］　活発［な］		29
カップ	まとめ3	
かてい　家庭		36
かならず　必ず		25
かのうせい　可能性		38
かのじょ　彼女		14
かばん		2
かびん　花瓶		28
かぶき　歌舞伎		18
かぶる［ぼうしを～］ かぶる［帽子を～］		20
かべ　壁		31
がまんづよい　我慢強い		29
かみ（～がながい） 髪（～が長い）	まとめ2	
かみ（～にかく） 紙（～に書く）		20
かめ		16

カメラ		2
かよう　通う		27
かようび　火曜日		5
～から		5
～から、～		9
からい*　辛い		9
カラオケ		14
～からきました。 ～から来ました。		1
ガラス	まとめ5	
からだ*　体		11
からて　空手		14
かりる　借りる		10
かるい*　軽い		12
かれ　彼		14
カレー		4
かわ（やまと～）　川（山と～）		19
かわ（りんごの～） 皮（りんごの～）		32
かわく*　乾く		28
かわる　変わる	まとめ5	
～かん　～間		42
かんがえる　考える		25
かんき　乾季		23
かんきょう　環境		11
かんけい　関係		30
がんこ［な］　頑固［な］		37
かんじ　漢字		5
かんしゃする　感謝する	まとめ8	
がんしょ　願書		31
かんじる　感じる		26
かんせいする　完成する		18
かんたん［な］　簡単［な］		7
がんばってください。 頑張ってください。		13
がんばる　頑張る		17

かんばん　看板		38
かんりにん　管理人		1

き

き　木		8
きいてください。		
聞いてください。		はじめましょう
きいろ　黄色		12
きえる　消える		23
きおん　気温		まとめ5
きかい（こうじょうの～）		
機械（工場の～）		16
きかい（いく～）		
機会（行く～）		22
きかいこうがく　機械工学		16
きがえる　着替える		41
きがつく　気がつく		18
きがつく（よく～ひと）		
気がつく（よく～人）		29
きがつよい*　気が強い		37
きがみじかい　気が短い		37
きがよわい　気が弱い		37
きく（おんがくを～）		
聞く（音楽を～）		4
きく（でんわばんごうを～）		
聞く（電話番号を～）		16
きけん　危険		20
きこえる　聞こえる		23
きこくする　帰国する		39
ぎじゅつかいはつ　技術開発		33
きせつ　季節		23
きそ　基礎		まとめ7
ギター		14
きたいする　期待する		39
きたぐち*　北口		8
きたない　汚い		23
きちょうひん　貴重品		41
きっさてん　喫茶店		32
きって　切手		4
きっと		37
きっぷ　切符		23
きのう　昨日		5
きびしい（～れんしゅう）		
厳しい（～練習）		12
きびしい（～せんせい）		
厳しい（～先生）		19
きぶん　気分		27
きぼう　希望		32
きます　来ます		6
きまる　決まる		29
きめる　決める		20
きもち　気持ち		19
きもの　着物		12
きゃく　客		まとめ6
キャッシュカード		21
キャッチする		28
キャンパス		11
キャンプ		24
キャンプじょう　キャンプ場		24
きゅう　九		はじめましょう3
きゅう［な］　急［な］		29
きゅうじゅう　九十		はじめましょう
ぎゅうどん　牛どん		2
ぎゅうにく　牛肉		2
ぎゅうにゅう　牛乳		4
ぎゅうにゅうパック　牛乳パック		23
きゅうりょう　給料		33
きょう*　今日		4
きょうかい　教会		8
きょうし　教師		9
きょうしつ　教室		3
きょうみ　興味		32

きょうみぶかい	興味深い	36
ぎょうれつ	行列	36
きょか	許可	24
きょかしょう	許可証	24
ぎょぎょう	漁業	36
きょく	曲	14
きょねん	去年	6
きらい［な］	嫌い［な］	9
きる（シャツを～） 着る（シャツを～）		12
きる（やさいを～） 切る（野菜を～）		15
きる（でんげんを～） 切る（電源を～）		17
きれい［な］		7
きれいずき［な］ きれい好き［な］		29
きれる	切れる	28
―キロ（キログラム）(kg)		資料⑬
―キロ（キロメートル）(km)		24
きをつける	気をつける	まとめ5
きんいろ	金色	まとめ6
きんこ	金庫	28
ぎんこう	銀行	3
ぎんこういん	銀行員	1
きんしする	禁止する	32
きんようび	金曜日	5

く

く	九	はじめましょう 3
～く	～区	22
クイズ		20
くうこう	空港	12
クーポン		33
くじゃく		まとめ2
くすり	薬	19
くださる	下さる	41
くだもの	果物	4
くち*	口	11
くちべに	口紅	40
くつ	靴	3
くつした	靴下	31
クッション		37
くに	国	1
くにぐに	国々	42
くばる	配る	22
くび	首	11
くふう	工夫	35
くま		38
くみたてる	組み立てる	21
くもり*	曇り	19
くやしい	悔しい	34
くらい（～へや）* 暗い（～部屋）		11
くらい（～ひと） 暗い（～人）		37
～ぐらい		12
くらし	暮らし	40
クラシック		4
クラス		10
グラフ		37
―グラム（g）		資料⑬
くる	来る	6
グループ		40
くるしい	苦しい	まとめ5
くるま	車	2
くるまいす	車いす	35
くれる		22
くろい	黒い	7
くわしい	詳しい	28
～くん	～君	まとめ4

147

巻末 2. 索引(さくいん)

け

けいえいする	経営する	16
けいかく	計画	32
けいかくあん	計画案	32
けいけん	経験	24
けいご	敬語	41
けいこうとう	蛍光灯	22
けいざい	経済	11
けいざいがくぶ	経済学部	11
けいさつ	警察	はじめましょう 21
けいさん	計算	24
げいじゅつ	芸術	27
げいじゅつがくぶ	芸術学部	27
けいたいでんわ	携帯電話	はじめましょう 2
ケーキ		6
ゲーム		4
ゲームき	ゲーム機	まとめ 7
ゲームソフト		7
けが		22
けさ *	今朝	5
けしき	景色	12
けしゴム	消しゴム	まとめ 4
けしょうする	化粧する	37
けす（エアコンを～） 消す（エアコンを～）		14
けす（ホワイトボードを～） 消す（ホワイトボードを～）		31
ケチャップ		32
けっか	結果	26
けっこうです。	結構です。	31
けっこんする	結婚する	16
けっせき	欠席	36
げつようび	月曜日	5
～けど、～。（ふるい～、ひろい。） ～けど、～。（古い～、広い。）		29
～けど、～。（コンサートがあるんだ～、いかない？） ～けど、～。（コンサートがあるんだ～、行かない？）		33
～けん	～県	22
けん	券	23
けんがく	見学	13
けんかする		21
げんき [な]	元気 [な]	7
げんきづける	元気づける	まとめ 8
けんきゅういん	研究員	1
けんきゅうする	研究する	5
げんきん	現金	24
けんこう	健康	30
げんざい	現在	41
けんしゅう	研修	29
けんちくがく	建築学	42
けんぶつする	見物する	41
けんめい	件名	42

こ

—こ	—個	24
ご	五	はじめましょう 3
～ご	～語	2
～ご	～後	30
ご～		32
こい	恋	34
ごいけん	ご意見	32
こいびと	恋人	18
こうえん	公園	4
こうがく	工学	13
ごうかくする	合格する	22
こうぎょう	工業	36
こうくうびん	航空便	10
こうげいひん	工芸品	36
こうこう	高校	17

こうこうせい　高校生		6
こうこく　広告		29
こうさてん　交差点		23
こうじょう　工場		13
こうそく　高速		42
こうそくどうろ　高速道路		42
こうちゃ　紅茶		2
こうつう　交通		21
こうつうじこ　交通事故		21
こうはい*　後輩		10
こうばん　交番		8
こうりゅう　交流		37
こうりゅうパーティー　交流パーティー		37
こえ　声		**まとめ4**
コース		31
コーチ		34
コート（くろい〜）　コート（黒い〜）		7
コート（バスケットボールの〜）		15
コーヒー		2
コーヒーカップ		**まとめ3**
ごかぞく　ご家族		9
こくさいけっこん　国際結婚		19
こくせき　国籍		24
こくはくする　告白する		30
ここ		3
ごご　午後		**はじめましょう 5**
ここのか　9日		6
ここのつ　9つ		10
ごじゅう　五十		**はじめましょう**
ごしゅじん　ご主人		10
こしょう　故障		33
ごしょうたい　ご招待		37
ごぜん　午前		**はじめましょう 5**
ごぞんじだ　ご存じだ		24

こたえ　答え	**はじめましょう　まとめ2**	
こたえる　答える		25
ごちそうさまでした。	**はじめましょう**	
ごちゅうもん　ご注文		10
こちら		22
こちらこそどうぞよろしくおねがいします。（こちらこそどうぞよろしく。）こちらこそどうぞよろしくお願いします。		1
コップ		13
こと		22
ことし*　今年		6
ことば　言葉		**まとめ2**
こども　子供		8
こどもさん*　子供さん		10
この		2
このあいだ　この間		22
このまえ　この前		14
ごはん*　ご飯		4
コピーき　コピー機		3
コピーする		15
ごぶさたする		42
こぼす		36
こまる　困る		28
ごみ		15
ごめん。		22
ごらんになる　ご覧になる		41
ごりょうしん　ご両親		9
ゴルフ		9
これ		2
これから		19
これでいいですか。		28
〜ごろ		5
ころす　殺す		36
ころぶ　転ぶ		27
こわい　怖い		12

巻末

2.

索引（さくいん）

149

巻末
2. 索引

こわす	壊す	20
こわれる	壊れる	21
こんげつ*	今月	6
コンサート		5
こんしゅう*	今週	5
こんでいます	込んでいます	19
こんど	今度	6
こんな		24
こんにちは。		はじめましょう 37
こんばん	今晩	4
こんばんは。		はじめましょう
コンビニ		3
コンピューター		2
コンピューターしつ　コンピューター室		3

さ

さあ		19
―さい	―歳	5
さいがい	災害	28
さいきん	最近	28
さいご	最後	36
さいしょ*	最初	36
さいふ	財布	2
さいようする	採用する	24
ざいりょう	材料	23
ざいりょうひ	材料費	37
サイン		34
さがす	探す	18
さかな	魚	4
さかん[な]	盛ん[な]	36
さきに	先に	17
さく	咲く	21
さくじょする	削除する	17
さくぶん	作文	17
さくら	桜	7

さけ	酒	4
さす（かが～）	刺す（蚊が～）	36
さす［かさを～］		
さす［傘を～］		39
ざぜん	座禅	24
さそう	誘う	25
―さつ	―冊	24
さっか	作家	41
サッカー		4
サッカーせんしゅ		
サッカー選手		9
さっき		28
ざっし	雑誌	2
さとう	砂糖	2
さばく	砂漠	30
さびしい	寂しい	まとめ4
ざぶとん	座布団	31
サボる		21
～さま	～様	22
さむい*	寒い	9
さむらい	侍	36
さようなら。		はじめましょう
さら	皿	13
―さら	―皿	まとめ6
さらいねん	再来年	資料④
サラダ		6
さる	猿	24
さわぐ	騒ぐ	36
さわる	触る	16
さん	三	はじめましょう 3
～さん		1
さんかする	参加する	26
さんぎょう*	産業	36
ざんぎょう	残業	21
サングラス		32
さんこうしょ	参考書	15

さんじゅう	三十	はじめましょう	
さんせい	賛成	40	
さんせいグループ	賛成グループ	40	
サンダル		20	
サンドイッチ		10	
ざんねん [な]	残念 [な]	9	
さんぽする	散歩する	9	

し

し (〜がつ)	四 (〜月)	はじめましょう 3	
〜し	〜市	22	
し (〜をかく)	詩 (〜を書く)	25	
—じ	—時	はじめましょう 5	
じ	字	24	
しあい	試合	17	
しあわせ [な]	幸せ [な]	21	
—cc		資料⑭	
CD		2	
シート		20	
シートベルト		41	
J-ポップ*		4	
しお	塩	2	
〜しか		24	
しかし		まとめ5	
しかる		36	
じかん	時間	9	
—じかん	—時間	12	
じきゅう	時給	27	
しけん	試験	はじめましょう 17	
じこ	事故	21	
しごと	仕事	11	
じしょ	辞書	3	
じしん	地震	21	
じすい	自炊	29	

しずか [な]	静か [な]	7	
システム		29	
しぜん	自然	28	
した	下	8	
じだい	時代	42	
したしむ	親しむ	36	
しち	七	はじめましょう 3	
しちじゅう	七十	はじめましょう	
しちょう	市長	13	
〜しつ	〜室	3	
じっけん	実験	20	
じつげんする	実現する	30	
じっさいに	実際に	33	
じつは	実は	23	
しっぱいする	失敗する	18	
しつもん	質問	はじめましょう 4	
しつれいします。	失礼します。	はじめましょう 15	
してん	支店	29	
じてんしゃ	自転車	6	
してんちょう	支店長	41	
じどうしゃ	自動車	36	
じどうはんばいき	自動販売機	8	
しぬ	死ぬ	14	
—じはん	—時半	はじめましょう 5	
じぶん	自分	30	
じぶんで	自分で	14	
しま	島	12	
しまう		31	
します		4	
しまる	閉まる	28	
しみん	市民	23	
しみんびょういん	市民病院	23	
しみんマラソン	市民マラソン	31	
じむしつ	事務室	3	
しめきり	締め切り	25	

巻末 2. 索引(さくいん)

151

巻末
2. 索引(さくいん)

しめる（まどを〜） 閉める（窓を〜）		31
しめる（シートベルトを〜） 締める（シートベルトを〜）		41
〜しゃ　〜者		37
じゃ		3
シャープペンシル		2
しゃいん　社員		29
しやくしょ　市役所	はじめましょう	13
しゃしん　写真		7
ジャズ*		4
しゃちょう　社長		26
シャツ		10
ジャッジ		40
ジャッジグループ		40
シャワー		14
じゅう　十	はじめましょう	3
じゆう[な]　自由[な]		29
〜じゅう　〜中	まとめ7	
じゅういち　十一	はじめましょう	
一しゅうかん　一週間		12
しゅうかん　習慣		19
じゅうきゅう　十九	はじめましょう	
じゅうく　十九	はじめましょう	
じゅうご　十五	はじめましょう	
じゅうさん　十三	はじめましょう	
じゅうし　十四	はじめましょう	
じゅうしち　十七	はじめましょう	
じゅうしょ　住所		15
しゅうしょく　就職		29
ジュース		2
じゅうでんする　充電する		26
じゅうどう　柔道		11
シュートする		38
じゅうなな　十七	はじめましょう	
じゅうに　十二	はじめましょう	

じゅうはち　十八	はじめましょう	
じゅうぶん　十分	まとめ5	
しゅうまつ　週末		6
じゅうよっか　14日		6
じゅうよん　十四	はじめましょう	
しゅうりする　修理する		15
しゅうりょうする　終了する		34
じゅうろく　十六	はじめましょう	
じゅぎょう　授業		12
じゅぎょうちゅう　授業中		38
じゅく　塾		40
しゅくだい　宿題	はじめましょう	4
じゅけんする　受験する		31
じゅけんひょう　受験票		21
しゅじん　主人		10
しゅっせきする　出席する		26
しゅっちょう　出張		27
しゅみ　趣味		1
しゅるい　種類		19
じゅんび　準備		12
じゅんびいいんかい　準備委員会		31
〜しょ　〜書		21
〜しょう　〜証		24
〜じょう　〜場		24
しょうかいする　紹介する		21
しょうがくきん　奨学金		33
しょうがくせい　小学生		26
しょうがっこう　小学校	まとめ4	
しょうきょうと　小京都		36
じょうけん　条件		33
しょうしゃ　商社		39
しょうしょう　少々		41
じょうず[な]　上手[な]		9
しょうせつ　小説		36
しょうたい　招待		37

152

しょうひん	商品	37
じょうぶ［な］	丈夫［な］	23
じょうほう	情報	28
しょうぼうしょ	消防署	はじめましょう
しょうめいしょ	証明書	31
しょうゆ		2
しょうらい	将来	13
ショー		35
ジョギング		4
しょくじする	食事する	6
しょくどう	食堂	3
じょせい	女性	37
しょっけん	食券	37
しょるい	書類	28
じらい	地雷	40
しらせる	知らせる	20
しらべる	調べる	24
しりょう	資料	15
しる	知る	16
しろ	城	16
しろい	白い	7
しん〜	新〜	26
〜じん	〜人	1
しんがくする	進学する	42
しんかんせん	新幹線	6
じんこう	人口	19
じんじゃ	神社	35
しんせいひん	新製品	26
しんせつ［な］	親切［な］	7
しんにゅう〜	新入〜	29
しんにゅうしゃいん	新入社員	29
しんぱい［な］	心配［な］	21
しんぱいする	心配する	27
しんぶん	新聞	2

す

ず	図	21
すいえい	水泳	1
すいか		11
すいせんじょう	推薦状	15
すいぞくかん	水族館	35
スイッチ		39
すいどう＊	水道	18
すいはんき	炊飯器	35
ずいぶん		29
すいようび	水曜日	5
すう［たばこを〜］ 吸う［たばこを〜］		16
スーツ		27
スーパー		4
スカート		20
すき［な］	好き［な］	9
スキー		13
すききらいする	好き嫌いする	21
すきやき	すき焼き	2
すぐ（〜くる）	すぐ（〜来る）	15
すぐ（えきから〜） すぐ（駅から〜）		16
すくない＊	少ない	11
スクリーン		31
スケート		11
スケジュール		26
スケジュールひょう スケジュール表		31
すごい		16
すこし	少し	9
すごす	過ごす	42
すし		9
すずしい＊	涼しい	11
すすむ	進む	38
すすめる	勧める	36

巻末 2. 索引（さくいん）

スタジアム	33
スタンプ	33
〜ずつ	41
ずっと	11
ステーキ	10
すてき［な］	10
すてる　捨てる	15
ストレス	26
スニーカー	41
スノーボード	14
スパゲティ	10
スピーチ	14
スプーン	10
すべる　滑る	35
スポーツ	7
ズボン	34
すみません。（〜。ちょっと……。）	はじめましょう 6
すみません。（〜。おなまえは？）（〜。お名前は？）	1
すみませんが、〜	15
すむ　住む	16
すもう　相撲	13
スリッパ	15
する	4
する（カレーに〜）	10
する（ネクタイを〜）	20
する（あじが〜）　する（味が〜）	28
スロープ	35
すわる　座る	14

せ

せ　背	11
〜せい　〜製	2
せいかく［な］　正確［な］	28
せいかつ　生活	7
—せいき　—世紀	36
ぜいきん　税金	17
せいこう　成功	31
せいじ　政治	41
せいじか　政治家	41
せいせき　成績	21
せいと　生徒	40
せいのう　性能	まとめ 5
せいひん　製品	26
せいふく　制服	26
せいりする　整理する	34
セーター	10
せかい　世界	まとめ 7
せかいじゅう　世界中	まとめ 7
せき（〜がでる）せき（〜が出る）	27
せき（〜をゆずる）席（〜を譲る）	39
せきにん　責任	29
せきゆ　石油	36
せっけいする　設計する	20
せっけん　石けん	10
セットする	14
せつめい　説明	5
せつめいかい　説明会	5
ぜひ	18
せまい*　狭い	7
セルフタイマー	26
ゼロ	はじめましょう 3
せわ　世話	40
せん　栓	17
せん／ぜん　千	3
せんげつ*　先月	6
せんこうする　専攻する	42
せんじつ　先日	23
せんしゅ　選手	9

154

せんしゅう　先週		5
せんせい（がっこうの〜）		
先生（学校の〜）		1
せんせい（おいしゃさんの〜）		
先生（お医者さんの〜）		17
ぜんぜん　全然		9
せんたく*　洗濯		9
せんたくき　洗濯機		3
—センチ（センチメートル）(cm)		24
せんでんする　宣伝する		33
せんぱい　先輩		10
ぜんぶ　全部		17
せんもん　専門		29
せんもんがっこう		
専門学校		**まとめ3**
せんもんちしき　専門知識		39

そ

そう		19
ぞう　象		18
そうか。		39
そうじ　掃除		9
そうじき　掃除機		3
そうしんする　送信する		17
そうたいする　早退する		40
そうでしたね。		22
そうです。		1
そうですか。		1
そうですね。（〜。ええと……。）		9
そうですね。（ええ、〜。）		19
そうべつかい　送別会		19
ソース		2
そこ		3
そして（ひろいです。〜きれいです。）		
そして（広いです。〜きれいです。）		
		7
そして（5ねんつとめた。〜かいしゃをはじめた。）		
そして（5年勤めた。〜会社を始めた。）		42
そだてる　育てる		20
そちら*		22
そつぎょうご　卒業後		30
そつぎょうしょうめいしょ		
卒業証明書		31
そつぎょうする　卒業する		17
そと*　外		8
その		2
そのた　その他		20
そのほかに		31
そのままにする		31
そば		2
そふ*　祖父		16
そぼ　祖母		16
そめる　染める		40
そら　空		28
それ		2
それから		4
それで		39
それでは		40
それに		19
それはいけませんね。		27
ぞんじておる　存じておる		42
そんな*		24
そんなことない。		37
そんなに		34

た

—だい　—台		10
〜だい　〜代		33
たいおんけい　体温計		35
たいかい　大会		31

巻末 2. 索引

155

巻末 2. 索引

だいがく　大学		1
だいがくいん　大学院		13
たいしかん　大使館		3
だいじょうぶ［な］		
大丈夫［な］		13
たいしょくする　退職する		16
だいじん　大臣		41
だいすき［な］　大好き［な］		18
たいせつ［な］　大切［な］		11
たいそうする　体操する		29
だいたい		9
たいてい		38
だいどころ　台所		15
ダイナマイト		36
ダイビング		24
たいふう＊　台風		21
たいへん　大変		36
たいへん［な］　大変［な］		7
ダウンロードする		24
タオル		17
たおれる　倒れる		28
たかい　高い		7
だから		27
だからなんですね。		28
たからもの　宝物		26
たく　炊く		35
たくさん		8
タクシー		33
～だけ		20
だす（テストを～）		
出す（テストを～）		18
だす（こうこくを～）		
出す（広告を～）		29
だす（ジュースを～）		
出す（ジュースを～）		31
たすける　助ける		16

ただいま。		34
ただしい　正しい		38
たたみ　畳		14
たたむ　畳む		28
～たち		12
たつ（おじいさんが～）＊		
立つ（おじいさんが～）		14
たつ（すこし～）		
たつ（少し～）		38
たてもの　建物		7
たてる　建てる		30
たなばた　七夕		35
たのしい　楽しい		7
たのしみ　楽しみ		22
たのしみにする　楽しみにする		18
たのしむ　楽しむ		まとめ5
たのむ　頼む		25
たばこ		16
たび　旅		40
たべもの　食べ物		7
たべる　食べる		4
たまご　卵		4
だめ［な］		38
～ために、～		30
ためる		30
たりる　足りる		21
だれ		2
たんじょうび　誕生日		6
ダンス		14
だんせい　男性		37
だんだん		まとめ5

ち

ちいさい　小さい		7
チェックする		16
ちかい＊　近い		8

156

ちがいます。　違います。	3
ちがう　違う	19
ちかく　近く	8
ちかてつ　地下鉄	6
ちから　力	21
ちきゅう　地球	19
チケット	13
ちこく　遅刻	36
ちしき　知識	39
ちず　地図	3
ちち　父	9
チップ	26
ちゃいろ　茶色	31
～ちゅう　～中	38
ちゅういする　注意する	21
ちゅうがく　中学	17
ちゅうがくせい　中学生	16
ちゅうこしゃ　中古車	33
ちゅうこしゃセンター	
中古車センター	33
ちゅうし　中止	21
ちゅうしゃ（よぼう～）	
注射（予防～）	9
ちゅうしゃ（～じょう）	
駐車（～場）	**まとめ 8**
ちゅうしゃきんし	
駐車禁止	**まとめ 8**
ちゅうしゃじょう　駐車場	11
ちゅうもん　注文	10
ちょうさ　調査	26
ちょうさけっか　調査結果	26
ちょうし　調子	21
ちょうど	37
—ちょうめ　—丁目	23
チョコレート	3

ちょっと（～さむかったです）	
ちょっと（～寒かったです）	12
ちょっと（～ようじがある）	
ちょっと（～用事がある）	19
ちょっと……。	6

つ

ツアー	21
ついたち　1日	6
ついでに	35
つうやく　通訳	9
つかう　使う	13
つかれました。　疲れました。	13
つかれる　疲れる	19
つき　月	19
つきあう	39
つく（えきに～）	
着く（駅に～）	21
つく（でんきが～）	
つく（電気が～）	23
つくえ　机	8
つくりかた　作り方	13
つくる　作る	5
つける（エアコンを～）	22
つける（うさぎのみみを～）	
つける（うさぎの耳を～）	32
つける［なまえを～］	
つける［名前を～］	**まとめ 7**
つたえる　伝える	27
つづく　続く	23
つづける　続ける	27
つとめる　勤める	42
つなみ　津波	28
つま　妻	10
つめ	35
つめきり　つめ切り	35

157

巻末
2. 索引（さくいん）

つめたい（〜ジュース）		
冷たい（〜ジュース）		12
つめたい（〜ひと）		
冷たい（〜人）		37
〜つもり		25
つよい* 　強い		21
つり　釣り		8
つれていく　連れて行く		22
つれてくる*　連れて来る		22

て

て　手		10
Tシャツ		20
ていき　定期		23
ていきけん　定期券		23
ていしょく　定食		5
ていねい［な］　丁寧［な］		28
ディベート		40
データ		25
デート		9
テーブル		8
テーマ		20
でかける　出かける		14
てがみ　手紙		4
できる（ちゅうごくごが〜）		
できる（中国語が〜）		14
できる（くうこうが〜）		
できる（空港が〜）		28
できる（よく〜）		38
できるだけ		28
デザイン		16
〜です。		はじめましょう
〜ですか。		8
ですから		28
テスト		8
てつだい　手伝い		16
てつだう　手伝う		13
テニス		4
では		34
デパート		3
てぶくろ　手袋		25
でも		11
〜でも		32
てら　寺		6
でる（おふろから〜）		
出る（お風呂から〜）		17
でる（せつめいかいに〜）		
出る（説明会に〜）		19
でる（おちゃが〜）		
出る（お茶が〜）		23
でる（バスが〜）		
出る（バスが〜）		25
テレビ		2
テレビばんぐみ　テレビ番組		9
—てん—　—点—		資料①
—てん　—点		33
てんき　天気		9
でんき　電気		23
てんきんする　転勤する		29
でんげん　電源		17
でんごん　伝言		42
でんしじしょ　電子辞書		37
でんしゃ　電車		6
でんしレンジ　電子レンジ		3
でんせん　電線		28
でんち　電池		28
テント		14
でんとうてき［な］		
伝統的［な］		36
てんぷ　添付		34
てんぷら　天ぷら		11
てんぷらあぶら　天ぷら油		23

158

でんわ　電話		8
でんわばんごう　電話番号		16
でんわりょうきん　電話料金		14

と

～と　～都		22
—ど（℃）　—度		まとめ5
ドア		まとめ4
トイレ		3
トイレットペーパー		23
どう		7
どういう		38
どうが　動画		26
とうじ　当時		まとめ7
とうじつ　当日		37
どうして		9
どうしてですか。		9
どうしますか。		13
どうぞ		15
どうぞ。		12
どうそうかい　同窓会		27
どうぞよろしくおねがいします。（どうぞよろしく。）		
どうぞよろしくお願いします。（どうぞよろしく。）		1
どうなっていますか。		31
とうふ　豆腐		41
とうふサラダ　豆腐サラダ		41
どうぶつ　動物		8
どうぶつえん　動物園		6
どうも（～ありがとう）		15
どうも（～…ようです）		39
どうも。		3
どうもありがとうございました。		8
どうやって		16
どうろ　道路		23

とうろくする　登録する		17
とお　10		10
とおい　遠い		8
とおか　10日		6
とおく　遠く		22
とおる　通る		28
～とか		14
とかい　都会		29
～とき、～		6
ときどき　時々		4
とくい［な］　得意［な］		34
どくしん　独身		11
どくしんしゃ　独身者		37
どくしんしゃよう　独身者用		37
とくちょう　特徴		まとめ7
とくに　特に		36
とけい　時計		3
どこ		3
ところ		7
とし（～がしただ）　年（～が下だ）		21
とし（～けいかく）　都市（～計画）		42
としけいかく　都市計画		42
としょかん　図書館		4
としょしつ　図書室		3
としをとる　年を取る		まとめ5
とちゅうで　途中で		33
どちら		11
どちらも		11
とっきゅう　特急		26
とっきゅうけん　特急券		26
とても		7
とどく　届く		21
とどけ　届け		31
となり　隣		8

巻末

2. 索引(さくいん)

159

巻末 2. 索引(さくいん)

どの	18
どのぐらい	12
とぶ　飛ぶ	32
とまる（うちに〜）	
泊まる（うちに〜）	12
とまる（せきが〜）	
止まる（せきが〜）	27
とめる（くるまを〜）	
止める（車を〜）	16
とめる（うちに〜）	
泊める（うちに〜）	29
ともだち　友達	1
どようび　土曜日	5
ドライクリーニング	38
ドライブ	6
トラック	24
ドラマ	9
とり　鳥	まとめ2
とりかえる　取り替える	22
とりにく　とり肉	2
とる（しゃしんを〜）	
撮る（写真を〜）	12
とる（さかなを〜）	
捕る（魚を〜）	まとめ2
とる（しおを〜）	
取る（塩を〜）	15
とる（めんきょを〜）	
取る（免許を〜）	25
とる（ビタミンCを〜）	
取る（ビタミンCを〜）	32
とる（100てんを〜）	
取る（100点を〜）	33
とる（ひとのかばんを〜）	
取る（人のかばんを〜）	36
どれ	7
ドレス	37

どろぼう	36
—トン（t）	35
とんカツ　豚カツ	11
どんな	7
トンネル	35

な

ない	17
ナイフ	10
なおす　直す	22
なおる　治る	19
なか（くるまの〜）	
中（車の〜）	8
なか（〜がいい）	
仲（〜がいい）	16
ながい　長い	11
ながいきする　長生きする	33
なかなか	27
ながれる　流れる	23
なく　泣く	17
なくす	21
なくなる	19
なげる　投げる	24
なさる	41
なぜ	42
なつ　夏	11
なつかしい　懐かしい	42
なっとう　納豆	18
なつやすみ　夏休み	6
〜など	23
なな　七	はじめましょう 3
ななじゅう　七十	はじめましょう
ななつ　7つ	10
なに　何	4
なにやってるの。	
何やってるの。	38

160

なのか　7日		6
なべ		15
なまえ　名前		はじめましょう 1
なみ　波		28
なやむ　悩む		39
ならう　習う		10
ならぶ　並ぶ		17
ならべる　並べる		15
なる		23
なん　何		2
なん〜　何〜		3
なんかい　何回		18
なんがい　何階		3
なんかげつ　何か月		12
なんがつ*　何月		6
なんさい　何歳		5
なんじ　何時		5
なんじかん　何時間		12
なんしゅうかん*　何週間		12
なんだい*　何台		10
なんにち（きょうは〜ですか）*		
何日（今日は〜ですか）		6
なんにち（〜かかりますか）*		
何日（〜かかりますか）		12
なんにん　何人		8
なんねん（ことしは〜ですか）*		
何年（今年は〜ですか）		11
なんねん（〜べんきょうしましたか）*		
何年（〜勉強しましたか）		12
なんぷん（なんじ〜ですか）*		
何分（何時〜ですか）		5
なんぷん（〜かかりますか）		
何分（〜かかりますか）		12
なんぼん*　何本		20
なんまい*　何枚		10
なんメートル（m）　何メートル		14

なんようび*　何曜日		5

に

に　二		はじめましょう 3
にあう　似合う		37
におい		28
にがて［な］　苦手［な］		34
にぎやか［な］		7
にく　肉		2
にこにこする		28
にさんにち　2、3日		17
にしぐち　西口		8
にじゅう　二十		はじめましょう
にじゅうよっか　24日		6
—にち（きょうは〜です）		
—日（今日は〜です）		6
—にち（〜かかります）		
—日（〜かかります）		12
にちようび　日曜日		5
〜について		19
にづくりする　荷造りする		18
にほんごがっこう　日本語学校		1
にほんごでなんですか。		
日本語で何ですか。		はじめましょう
にもつ　荷物		10
にゅうがく　入学		35
にゅうがくしけん　入学試験		35
ニュース		28
〜によって		36
〜によると		28
〜によろしく。		10
にる　煮る		15
にわ　庭		41
—にん　—人		8
にんき　人気		25
にんぎょう　人形		22

161

にんげん　人間		まとめ❷
にんげんかんけい　人間関係		30
にんじゃ　忍者		14
—にんのり　—人乗り		21

ぬ

ぬく　抜く		17
ぬぐ＊　脱ぐ		12
ぬれる		28

ね

ねえ		33
ねがいごと　願い事		35
ねがう　願う		41
ネクタイ		10
ねこ　猫		8
ねだん　値段		29
ねつ　熱		27
ネックレス		10
ねっしん［な］　熱心［な］		33
ねぼうする　寝坊する		34
ねむい　眠い		9
ねる　寝る		5
—ねん（ことしは～です） 　—年（今年は～です）		11
—ねん（～べんきょうしました）＊ 　—年（～勉強しました）		12
—ねんかん　—年間		42
—ねんせい　—年生		13
—ねんはん　—年半		資料⑥
ねんれい　年齢		24

の

のうぎょう　農業		36
ノート		2
のこる　残る		39

のせる（しゃしんをブログに～） 　載せる（写真をブログに～）		14
のせる（すしをさらに～） 　載せる（すしを皿に～）		まとめ❻
～のつぎに　～の次に		38
のど		27
のどがかわきました。 　のどが渇きました。		13
～のなかで　～の中で		まとめ❷
のばす（うどんを～） 　延ばす（うどんを～）		28
のばす（つめを～） 　伸ばす（つめを～）		40
のぼる　登る		12
のみもの　飲み物		11
のむ（みずを～）　飲む（水を～）		4
のむ［くすりを～］ 　飲む［薬を～］		19
のりかえる　乗り換える		16
のる　乗る		14

は

は　歯		14
～は？		1
はあい		38
～ばあい　～場合		まとめ❺
バーゲン		39
—パーセント（％）		26
パーティー		5
バーベキュー		14
パーマ		40
はい		1
—はい／ばい／ぱい　—杯		32
バイオぎじゅつ　バイオ技術		20
バイオリン		24
ハイキング		13

バイク		6
はいけんする	拝見する	42
はいしゃ	歯医者	26
はいゆう	俳優	41
はいる（へやに〜）	入る（部屋に〜）	5
はいる（アルバイトだいが〜）	入る（アルバイト代が〜）	33
はいる（おさけが〜）	入る（お酒が〜）	39
はい、わかります。	はい、分かります。	はじめましょう
はかる	測る	35
はく	履く	15
―はく／ぱく	―泊	25
はこ	箱	8
はこぶ	運ぶ	15
はさみ		20
はし（〜でたべる）	はし（〜で食べる）	10
はし（〜のうえ）	橋（〜の上）	12
はじまる*	始まる	5
はじめて	初めて	10
はじめまして。	初めまして。	1
はじめましょう。	始めましょう。	はじめましょう
はじめる	始める	14
パジャマ		8
ばしょ	場所	16
はしる	走る	24
バス		6
はずかしい	恥ずかしい	34
バスケットボール		14
はずす［せきを〜］	外す［席を〜］	42
バスてい	バス停	8
パスポート		まとめ5
パスワード		34
パソコン		2
はたけ	畑	38
はたらく	働く	5
はち	八	はじめましょう 3
はちじゅう	八十	はじめましょう
はちみつ		39
はつか	20日	6
はっきり		まとめ5
パック		23
はっけんする	発見する	36
はつこい	初恋	34
はつこいものがたり	初恋物語	34
はつばいする	発売する	まとめ7
はっぴょうする	発表する	12
はつめいする	発明する	36
はで［な］	派手［な］	40
はと		17
バドミントン		7
はな（さくらの〜）	花（桜の〜）	7
はな（いぬの〜）	鼻（犬の〜）	11
はなし	話	26
はなしあう	話し合う	39
はなす	話す	10
はなたば	花束	30
バナナ		7
はなび	花火	6
はなみ	花見	12
はは	母	9
パパ*		24
はブラシ	歯ブラシ	35
はやい	速い	11
はやく	早く	9
はやねはやおき	早寝早起き	33
はやる		32

163

はらう	払う	14
バランス		29
ばりばり		39
はる	春	11
はる	張る	31
はれ	晴れ	19
はれる	晴れる	33
―ばん	―番	はじめましょう
ばん*	晩	5
パン		4
ハンカチ		22
パンクする		25
ばんぐみ	番組	9
ばんごう	番号	16
ばんごはん*	晩ご飯	4
パンダ		6
はんたいする	反対する	27
はんとし*	半年	12
はんにん	犯人	25
ハンバーガー		24
パンフレット		18
パンや	パン屋	4

ひ

ひ（～をけす）	火（～を消す）	20
ひ（あめの～）	日（雨の～）	22
ピアス		40
ひあたり	日当たり	25
ピアニスト		41
ピアノ		8
ビール		3
ひがしぐち*	東口	8
ひかる	光る	まとめ6
―ひき／びき／ぴき	―匹	資料⑬
ひきだし	引き出し	28
ひく（ギターを～） 弾く（ギターを～）		14
ひく［かぜを～］ 引く［風邪を～］		27
ひくい*	低い	7
ひこうき	飛行機	6
ビザ		26
ピザ		まとめ3
ひさしぶり	久しぶり	23
びじゅつかん	美術館	16
ひじょうぐち	非常口	31
ビタミンＣ		32
ひだり	左	23
びっくりする		39
ひづけ	日付	26
ひっこし	引っ越し	18
ひつよう［な］	必要［な］	19
ひと	人	2
ひとつ	1つ	10
ひとり	1人	8
ひとりぐらし	一人暮らし	40
ひとりたび	一人旅	40
ひとりで	一人で	6
ひま［な］	暇［な］	8
ひみつ	秘密	25
ひゃく／びゃく／ぴゃく	百	3
ひやす	冷やす	31
ひょう	表	31
―びょう	―秒	資料⑭
びょういん	病院	3
びよういん	美容院	41
びょうき	病気	21
ひょうご	標語	30
ひょうしき	標識	38
ひらがな*	平仮名	9
ひらく	開く	36

ひる* 昼	5	
ビル	20	
ひるごはん 昼ご飯	4	
ひるま 昼間	24	
ひるやすみ 昼休み	12	
ひろい 広い	7	
ひろう 拾う	21	
びん 瓶	23	

ふ

―ぶ ―部	41
ファイル	17
プール	6
フェリー	12
ふえる 増える	19
フォーク	10
ふく	15
ふく 服	16
ふくざつ［な］ 複雑［な］	31
ふくしゅう* 復習	35
ふくろ 袋	28
ふた	23
ふたつ 2つ	10
ぶたにく 豚肉	2
ふたり 2人	8
ぶちょう 部長	37
ふつう 普通	21
ふつか 2日	6
ふとい* 太い	28
ふとる 太る	21
ふとん 布団	13
ふね 船	6
ぶぶん 部分	39
ふむ 踏む	28
ふゆ 冬	11
ふゆやすみ* 冬休み	6

プラグ	31
プラスチック	**まとめ5**
フラッシュ	26
フリーズする	34
フリーマーケット	**まとめ3**
プリント	15
ふる（あめが～） 降る（雨が～）	21
ふる（かれを～） 振る（彼を～）	36
ふるい 古い	7
プレゼンテーション	42
プレゼント	10
フレックスタイム	29
プロ	26
ふろ 風呂	5
ブログ	14
プロジェクター	22
プロジェクト	40
プロポーズする	36
―ふん／ぷん（いま―じ～です） ―分（今―時～です）	5
―ふん／ぷん（～かかります） ―分（～かかります）	12
ぶん 文	**まとめ4**
ぶんかさい 文化祭	25
―ぶんの― ―分の―	**資料①**
ぶんぽう 文法	5

へ

へい 塀	38
へいあんじだい 平安時代	36
―へいほうキロメートル（km^2） ―平方キロメートル	**資料⑭**
―へいほうメートル（m^2） ―平方メートル	11

巻末 2. 索引

巻末 2. 索引

へえ		8
―ページ		はじめましょう
へた [な]*	下手 [な]	9
ベッド		8
ペット		14
ペットボトル		23
ヘッドホン		33
へび　蛇		21
へや　部屋		7
へる* 　減る		19
ベル		19
ヘルメット		35
へん [な]　変 [な]		28
～へん　～辺		38
べんきょうする　勉強する		5
ペンギン		まとめ 2
べんごし　弁護士		9
ベンチ		23
べんとう　弁当		4
べんり [な]　便利 [な]		7

ほ

ほいくえん　保育園		24
ぼうえんきょう　望遠鏡		30
ほうこく　報告		26
ほうこくしょ　報告書		26
ぼうし　帽子		20
ほうちょう　包丁		32
ぼうねんかい　忘年会		19
ほうふ [な]　豊富 [な]		29
ボウリング		14
ボーナス		28
ホームシック		まとめ 8
ホームステイする		18
ボール		15
ボールあそび　ボール遊び		32

ボールペン		2
ほかに		25
ほかの		15
ぼく　僕		まとめ 4
ポケット		34
ほけん　保険		26
ほけんしょう　保険証		26
ほし　星		28
ほしい　欲しい		13
ぼしゅうする　募集する		29
ポスター		31
ポスト		8
ほそい　細い		28
ほぞんする　保存する		17
ボタン		23
ポット		3
ポップコーン		27
ボディーランゲージ		38
ホテル		12
ほめる　褒める		36
ほら		28
ほる　掘る		30
ホワイトボード		31
ほん　本		2
―ほん／ぽん／ぼん　―本		20
ぼんおどり　盆踊り		18
ほんじつ　本日		42
ほんとう　本当		16
ほんとうに　本当に		まとめ 3
ほんやく　翻訳		16

ま

まあ。		20
―まい　―枚		10
まいあさ　毎朝		4
まいご　迷子		32

まいしゅう＊　毎週		5
まいつき＊　毎月		16
まいとし　毎年		16
まいにち＊　毎日		4
まいばん＊　毎晩		4
まいる　参る		42
まえ　前		8
～まえに		14
―（ねん）まえに		
―（年）前に		13
まがる　曲がる		23
まける　負ける		34
まじめ［な］		11
まず		38
マスク		32
まぜる　混ぜる		28
また（～メールします）		10
また（～。また～）		まとめ5
まだ		17
またあした。		8
またこんど　また今度		26
まち　町		7
まちがう　間違う		38
まちがえる　間違える		34
まつ　待つ		14
まっすぐ		23
まつり　祭り		6
～まで		5
～までに		21
まど　窓		9
まとめる		20
まなぶ　学ぶ		40
まにあう　間に合う		33
まねく　招く		35
ママ		24
まもる　守る		30

まよう　迷う		21
マラソン		31
マラソンたいかい		
マラソン大会		31
マラリア		41
まわり　周り		31
まわる　回る		まとめ6
まん　万		3
まんが　漫画		9
マンション		11

み

ミーティング		19
みえる　見える		19
みがく　磨く		14
みかん		10
みぎ　右		23
みじかい　短い		11
ミス		33
みず　水		2
みずうみ　湖		8
みせ　店		8
みせる　見せる		14
みち　道		21
みっか　3日		6
みつける　見つける		まとめ3
みっつ　3つ		10
みてください。		
見てください。		はじめましょう
みどり　緑		29
みなさま　皆様		22
みなさん　皆さん		5
みなと　港		19
みなみぐち＊　南口		8
みぶんしょうめいしょ		
身分証明書		26

巻末

2.

索引（さくいん）

167

みまい　見舞い	27	
みみ　耳	11	
みやげ　土産	8	
ミュージカル	25	
ミュージシャン	9	
みらい　未来	32	
—ミリ（ミリメートル）(mm)	**資料⑭**	
みる（えいがを〜）		
見る（映画を〜）	4	
みる（エアコンを〜）		
見る（エアコンを〜）	22	
みんな	**まとめ4**	

む

むいか　6日	6
むかう　向かう	**まとめ8**
むかえる　迎える	13
むかし　昔	19
むく	32
むし　虫	28
むずかしい　難しい	7
むすこ　息子	24
むすぶ　結ぶ	42
むすめ*　娘	24
むっつ　6つ	10
むりをする　無理をする	17

め

め　目	11
〜め　〜目	23
—メートル（m）	14
メール	5
メールアドレス	16
めがね　眼鏡	20
めざましどけい　目覚まし時計	14
めしあがる　召し上がる	41

めずらしい　珍しい	**まとめ2**
メニュー	29
メモ	29
メロン	11
めんきょ　免許	25
めんせつ　面接	24
メンバー	25

も

もう	16
もういちど　もう一度	15
もういちどいってください。	
もう一度言ってください。	
	はじめましょう
もうしこみ　申し込み	21
もうしこみしょ　申込書	21
もうしこむ　申し込む	25
もうす　申す	42
もうすぐ	25
もうすこし　もう少し	17
もうふ　毛布	28
もくようび　木曜日	5
もし	40
もしもし	5
もちあるく　持ち歩く	35
もつ　持つ	13
もっていく*　持って行く	16
もってくる　持って来る	16
もっと	30
モデル	9
もの	7
ものがたり　物語	34
もらう	10
もり　森	19
もんだい*　問題	**まとめ2**

や

〜や　〜屋		4
〜や〜		8
やきにくていしょく　焼肉定食		2
やきゅう　野球		9
やく　焼く		16
やくそく　約束		9
やくにたつ　役に立つ		16
やけどする		27
やける　焼ける		37
やさい　野菜		4
やさしい　優しい		11
やすい　安い		7
やすみ　休み		12
やすみましょう。		
休みましょう。	はじめましょう	
やすむ（3じまで〜）		
休む（3時まで〜）		5
やすむ（がっこうを〜）		
休む（学校を〜）		26
やせる*		21
やちん　家賃		25
やっつ　8つ		10
やっと		18
やね　屋根		37
やぶれる　破れる		28
やま　山		7
やまのぼり　山登り		9
やむ		33
やめる（おしゃべりを〜）		21
やめる（かいしゃを〜）		
辞める（会社を〜）		34
やる（えさを〜）		17
やる（テニスを〜）		17

ゆ

ゆ　湯		17
ゆうがた　夕方		27
ゆうしゅう［な］　優秀［な］		33
ゆうびんきょく　郵便局		3
ゆうべ		20
ゆうめい［な］　有名［な］		7
ゆうめいじん　有名人		33
ユーモア		25
ゆか　床		28
ゆかた　浴衣		14
ゆき　雪		21
ゆしゅつする　輸出する		36
ゆずる　譲る		39
ゆっくり（〜あるく）		
ゆっくり（〜歩く）	まとめ5	
ゆっくり（〜やすむ）		
ゆっくり（〜休む）		32
ゆにゅうする　輸入する		36
ゆめ　夢		20
ゆれ　揺れ		38
ゆれる　揺れる		28

よ

よう　酔う		21
〜よう　〜用		37
よういする　用意する		37
ようか　8日		6
ようじ　用事		19
ようす		24
ようちえん　幼稚園		34
よかったら		26
よく（〜わかる）		
よく（〜分かる）		9
よく（〜かいものをする）		
よく（〜買い物をする）		20

巻末 2. 索引

169

よこ　横	8
よごす　汚す	**まとめ7**
よごれる　汚れる	28
よしゅう　予習	35
よっか　4日	6
よっつ　4つ	10
よっぱらい　酔っ払い	36
よてい　予定	30
よぶ　呼ぶ	36
よふかし　夜更かし	32
よぼう　予防	32
よぼうちゅうしゃ　予防注射	32
よむ　読む	4
よやくする　予約する	24
よる*　夜	5
よろしくおねがいします。	
よろしくお願いします。	9
よわい　弱い	21
よん　四	**はじめましょう3**
よんじゅう　四十	**はじめましょう**

ら

ラーメン	2
ライオン	**まとめ2**
らいげつ　来月	6
らいしゅう*　来週	5
らいねん*　来年	6
らくがきする　落書きする	38
らくだ	23
ラジウム	36
ラッシュアワー	19
ラブレター	21
ランナー	31
らんぼう［な］　乱暴［な］	**まとめ7**

り

リードする	42
リサイクル	23
リサイクルこうじょう	
リサイクル工場	23
―リットル（ℓ）	**資料⑭**
―りっぽうメートル（m³）	
―立方メートル	**資料⑭**
りゃく　略	**まとめ7**
りゆう　理由	24
りゅうがく　留学	19
りゅうがくせい　留学生	11
りょう（がっこうの～）	
寮（学校の～）	1
りょう（～がおおい）	
量（～が多い）	29
りょうきん　料金	14
りょうしん　両親	9
りょうり　料理	4
りょかん　旅館	26
りょこう　旅行	9
りんご	**まとめ1**

る

ルール	9
るす　留守	39

れ

れい（もんだいの～）	
例（問題の～）	**はじめましょう1**
れい（ごぜん～じ）	
零（午前～時）	**はじめましょう3**
れいぞうこ　冷蔵庫	3
レインコート	35
れきし　歴史	11
レストラン	4

一れつ　一列		41
レベル		40
レポート		10
れんしゅうする　練習する		5
れんらくさき　連絡先		27
れんらくする　連絡する		18

ろ

ろうか　廊下		35
ローラースケート		32
ろく　六		はじめましょう 3
ろくじゅう　六十		はじめましょう
ロッカー		8
ロック＊		4
ロビー		3
ロボット		13
ロボットこうがく　ロボット工学		13
ロマンチック［な］		28
ろんぶん　論文		18

わ

わあ		16
ワイン		3
わかい　若い		33
わがまま［な］		37
わかもの　若者		まとめ7
わかりました。　分かりました。		8

わかりますか。　分かりますか。		はじめましょう
わかる　分かる		9
わかれる　別れる		18
ワクチン		41
わすれもの　忘れ物		18
わすれる　忘れる		21
わたくし　私		42
わたし		1
わたしたち		12
わたす　渡す		22
わたる　渡る		23
わに		37
わらう　笑う		17
わりあい　割合		37
わる　割る		24
わるい　悪い		21
われる　割れる		21

を

〜をおねがいします。（コーヒーを〜。）　〜をお願いします。（コーヒーを〜。）		10
〜をおねがいします。（ごいけんを〜。）　〜をお願いします。（ご意見を〜。）		32
〜をください。		3

巻末 2. 索引（さくいん）

＊マーク
その課で学習する語に関連する語

171

3. 学習項目一覧

課	文型	疑問詞・助数詞	助詞	副詞・接続詞・その他	普通体会話
1	N1は N2です。 N1は N2じゃ ありません。 Sか。 N1は N2ですか。 　―はい、N2です。／はい、 　　そうです。 　―いいえ、N2じゃ ありません。 N1も N2です。 N1の N2		は も（同類） の（所属） か（疑問）		
2	これ／それ／あれ この／その／あの　N N1は 何ですか。 　―N2です。 N1は 何の N2ですか。 Nは だれですか。 N1は N2（人）のです。 N1は だれの N2／だれのですか。 S1か、S2か。 　―S1／S2。	何（なん） だれ	の（属性・所有） の（準体助詞）		
3	ここ／そこ／あそこ N1は N2（場所）です。 Nは どこですか。 どこの N Nは いくらですか。	どこ いくら 円 階、何階	の（産地・メーカー）	数字（0～万） じゃ	
4	Nを Vます。 Nを Vません。 何も Vません。 N（場所）で Vます。 S1。それから、S2。 N1と N2	何（なに）	を（動作の対象） 疑問詞＋も＋否定 で（動作の行われる場所） と（並立）	今晩・今日・あした・あさって 毎朝・毎晩・毎日 いつも・時々 それから	
5	―時―分です。 ｛Vました。 ｛Vませんでした。 N（時点）に Vます。 N1（時点）から N2（時点）まで	時、何時 分、何分（時点） 何曜日 歳、何歳	に（時） から（開始時点） まで（終了時点） ごろ	今朝 昨日・おととい 今週・先週・来週 毎週 曜日	

課	文型	疑問詞・助数詞	助詞	副詞・接続詞・その他	普通体会話
6	N（場所）へ 行きます／来ます／帰ります。 〔年・月・日・時刻〕に／〔あした・来週・来年〕 Vます。 いつ Vますか。／Nは いつですか。 N（乗り物）で Vます。 N（人）と Vます。 Vませんか。	いつ 月、何月 日、何日(時点)	へ で（交通手段） と（共同行為の相手） 疑問詞＋助詞＋も否定	今年・去年・来年 今月・先月・来月 歩いて 一緒に 一人で 今度 〜とき	
7	Nは いAです。 Nは なAです。 Nは いAくないです。 Nは なAじゃ ありません。 Nは どうですか。 いA N／なA N どんな N Nは どれですか。 S1。そして、S2。 S1が、S2。 Sね。(共感)	どう（状態を聞く） どんな どれ	が（逆接） ね（共感）	あまり＋否定・とても・いちばん そして（並列）	
8	N1（場所）に N2が あります／います。 N1の〔上・下・前・後ろ・横・中・外・隣・間・近く〕 N1は N2（場所）に あります／います。 N（人）が －人 います。 Vましょう。 N1や N2 Sよ。(情報の強調) Sね。(確認)	人、何人(なんにん)	に（存在場所） が（存在する主体） や よ ね（確認）	位置詞 たくさん	
9	N1（人）は N2が 好きです／上手です。 N1（人）は N2が 分かります。 S1から、S2。 どうして S1か。 　—S2から。 N1は N2が あります。	どうして	が（対象） から（理由）	少し・だいたい・よく（程度） 全然＋否定 早く 家族呼称	

巻末

3. 学習項目一覧

巻末 3. 学習項目一覧

課	文型	疑問詞・助数詞	助詞	副詞・接続詞・その他	普通体会話
10	N1（人）に N2を 貸します／あげます／教えます。 N1（人）に N2を 借ります／もらいます／習います。 Nを 数量詞 V。 Nを いくつ Vか。 Nに します。	いくつ ------ つ 枚、何枚 台、何台	に（動作の相手） に（動作の出どころ） で（道具・手段・言語） に（決定）	また 初めて	
11	N1は N2が Aです。 N1は N2より Aです。 N1と N2と どちらが Aですか。 　—N1／N2の ほうが Aです。 　—どちらも Aです。 N1で N2が いちばん Aです。 N1で 何／だれ／どこ／いつが いちばん Aですか。 　—N2が いちばん Aです。 いAくて／なAで／Nで、〜。	どちら ------ 年、何年（時点） m²	が（述部の主語）	ずっと ------ でも	
12	Nは いAかったです。 Nは なAでした。 N1は N2でした。 Nは いAくなかったです。 Nは なAじゃ ありませんでした。 N1は N2じゃ ありませんでした。 数量詞（期間） V。 どのぐらい Vか。	どのぐらい ------ 期間：分、何分・時間、何時間・日、何日・週間、何週間・か月、何か月・年、何年	から（場所の起点） まで（場所の終点） ぐらい	ちょっと（程度）	
13	Nが 欲しいです。 Vます形 たいです。 N1（場所）へ Vます形 ／N2に 行きます／来ます／帰ります。 Vましょうか。（申し出） Vます形 たいんですが、……。 Vます形 ＋方		に（目的） 何／だれ／どこ＋かが（前置き）		

174

課	文型	疑問詞・助数詞	助詞	副詞・接続詞・その他	普通体会話
14	動詞のグループ V辞書形 趣味は V辞書形 こと／Nです。 N1は V辞書形 こと／N2が できます。（能力・状況可能） V1辞書形／Nの まえに、V2。 N1とか、N2とか N／なAでは ありません。	m、何m	とか に（到達点）	この前 自分で	Vる？ —うん、Vる。
15	Vて形 Vて形 ください。（指示・依頼・勧め） Vて形 くださいませんか。 Vて形 います。（進行）			もう一度 すぐ（時間） どうぞ どうも（あいさつ）	Vて。
16	Vて形 も いいです。 Vて形 は いけません。 Vて形 います。（結果の状態1：結婚する・知るなど；反復・習慣：働くなど） V1て、V2て、～。	どうやって		毎年・毎月 すぐ（距離） もう	
17	Vない形 Vない形 ないで ください。 Vない形 なくても いいです。 V1て形 から、V2。 N1（場所）で N2（催しなど）が あります。			まだ（Vないでください） 全部 先に もう少し	Vる？ —ううん、Vない。 Vないで。
18	Vた形 Vた形 ことが あります。 V1た形 り、V2た形 り します。 V1た形／Nの あとで、V2。	回、何回	何＋助数詞＋も 疑問詞＋でも を（離れる場所） と（動作の相手） に（対象）	ぜひ やっと	疑問詞＋Vた？ —～Vた。
19	普通形 普通形と 思います。 普通形と 言いました。 普通体S1が／から、普通体S2。	どう（意見を聞く）	と（引用） について を（通過場所）	これから ちょっと（軽い気持ちで） それに	全品詞の普通体会話

巻末

3. 学習項目一覧

175

巻末 3. 学習項目一覧(がくしゅうこうもくいちらん)

課	文型	疑問詞・助数詞	助詞	副詞・接続詞・その他	普通体会話
20	名詞修飾 N1は 名詞修飾＋N2です。 N1は 名詞修飾＋N2を Vます。 名詞修飾＋Nは ～。 Vて形 います。（結果の状態2：着脱）	本、何本	が（名詞修飾節内の主語） に（頻度の基準） も（N1もN2も） だけ	ゆうべ よく（頻度）	
21	普通形過去 ら、S。（仮定条件） Vた形 ら、S。（確定条件） ｛全品詞て／全品詞なくて｝も、S。		が（副詞節内の主語） が（現象の主語） までに に（「へ」の代用）		
22	N1（人）に N2を くれます。 N（人）に Vて形 くれます。 N（人）に Vて形 もらいます。 N（人）に Vて形 あげます。 疑問詞が Sか。 ―Nが S。 Vて くれて、ありがとう。		が（疑問詞が主語のとき）	この間	
23	いAく／なAに／Nになります。 V辞書形 と、S。 Vて形 来ます。 普通形でしょう。（同意を求める） 文脈指示（ソ系） S。普通形からです。	丁目、何丁目	に（変化の先） など と（接続助詞） は（取り立て・格助詞＋は）	先日 まっすぐ 実は	
24	V可能形 N1はN2が V可能形 ます。 V可能形 ようになります。 V可能形 なくなります。	か国、何か国 個、何個 冊、何冊	しか は（対比） 格助詞＋も	こんな、そんな、あんな	
25	普通形ので、S。 疑問詞＋普通形か、～。 普通形かどうか、～。 Vて形 いません。（未完了）	どうやって（方法） 泊、何泊	ので で（主体の限定）	まだ（Vていません） ほかに 必ず もうすぐ	Vてる。 Vてない。

176

課	文型	疑問詞・助数詞	助詞	副詞・接続詞・その他	普通体会話
26	普通形非過去 とき、S。 V辞書形／Vた形 とき、S。 Vない形 なければなりません。	どう（方法を聞く）		また今度 よかったら	Vなきゃ。
27	普通形んです。 普通形んですが、S。 V1ます形 ながら、V2ます。 疑問詞＋Vた形 らいいですか。 Vた形 らどうですか。 Vて形 いただけませんか。 N（3人称）は、普通形と思っています。		なあ ながら が（前置き）	なかなか ーーーーー だから	普通形の？ 普通形なあ。
まとめ5				だんだん はっきり ゆっくり （急がないで） 十分 ーーーーー しかし また	
28	Vて形 います。（結果の状態3：動作・作用の結果） 普通形そうです。 いAく／なAに Vます。 におい／味／音／声がします。 Vます形 ましょうか。（誘い）		で（原因） によると	さっき できるだけ ーーーーー ですから	
29	S1普通形し、S2普通形し、〜。 V辞書形／Vない形 ことにしました。 V辞書形／Vない形 ことになりました。 V辞書形／Vない形 ことになっています。 S1けど、S2。（逆接）		の（名詞修飾節内の主語） けど(逆接)	一生懸命 ずいぶん	普通形んだ。
30	意向形 V意向形 と思っています。 V辞書形／Nのために、S。			もっと ーーーーー 億（数詞）	V意向形か。（誘い／申し出）
31	Vて形 おきます。（準備・措置・放置） Vて形 あります。 Vます形／いA／なA すぎます。 いAく／なAに／N にします。			周り ーーーーー いよいよ そのほかに	

巻末 3. 学習項目一覧

177

巻末 3. 学習項目一覧(がくしゅうこうもくいちらん)

課	文型	疑問詞・助数詞	助詞	副詞・接続詞・その他	普通体会話
32	Vた形/Vない形 ほうがいいです。 普通形かもしれません。 V1て形/V1ない形 で、V2ます。		でも（例示）	ゆっくり（心静かに）	
まとめ6		皿、何皿			
33	全品詞条件形 全品詞条件形、S。（仮定） 普通形でしょう。（推量） 普通形んじゃないですか。 S1けど、S2。 普通形かな。 Sよ。（依頼などの強調）	点、何点	けど（前置き） かな よ（依頼等の強調）	途中で 実際に	Vといて。
34	Vて形 しまいました（完了・後悔） V1た形 ままV2ます。 V辞書形 のは／がAです。 普通形のをVます。 Sよね。		の（動詞・文の名詞化） で（量的限定） よね（同意を求める）	そんなに では	Vちゃった。
35	V1辞書形/V1ない形 ように、S。 V辞書形/Vない形 ようにしています。 V辞書形 の／名詞に〜。 Vます形 にくい・やすいです。 Vますように。		に（用途）	ついでに 大勢	
36	V受身形 N1（人）はN2に V受身形 ます。 N1（人）はN2に（N3（物）を） V受身形 ます。 N1（物）は V受身形 ます。 N1（固有名詞）というN2	世紀、何世紀	に（受身文の動作の主体） によって って	特に 大変	普通形って〜。（引用）

178

巻末 3. 学習項目一覧

課	文型	疑問詞・助数詞	助詞	副詞・接続詞・その他	普通体会話
37	いAい／なAなそうです。 Vます形 そうです。 V辞書形／Vて形 いる／Vた形 ところです。 Vて形 みます。 Vて形 くれませんか。			ちょうど きっと あとで	
まとめ7				今では 当時 普通形だろう	
38	V命令形 V禁止形 Vます形 なさい。 Nは〜という意味です。 普通形 と言っていました。	どういう（意味を聞く）		たいてい 〜の次に ───── まず	
39	普通形 ようです。 普通形 のに、S。 Vた形 ばかりです。		のに	ばりばり どうも（推量） ───── それで	
40	V使役形 N1（人）はN2（人）にN3を V使役形 ます。｝（強制・許可） N1（人）はN2（人）を V使役形 ます。 V使役形 ていただけませんか。		に（使役文の動作の主体）	もし ───── それでは	
41	尊敬動詞 お Vます形 になります。 お Vます形 ください。 尊敬形 おAです。	列、何列 部、何部	ずつ	現在 少々	
42	謙譲動詞 お Vます形 します。 ご Nする します。	なぜ		本日 ───── そして（時間の後）	

凡例　　N ：名詞　　　　V ：動詞
　　　　いA：い形容詞　　なA：な形容詞
　　　　S ：文

4. インフォメーションギャップとロールプレイ

23

2-4. 📖❓ P.5

A：すみません。サミット銀行へ行きたいんですが。
B：サミット銀行ですか。
A：はい。
B：あの交差点を渡って、少し行くと、右にありますよ。
A：そうですか。ありがとうございます。

例）サミット銀行　　3）市民病院　　4）ゆり大学

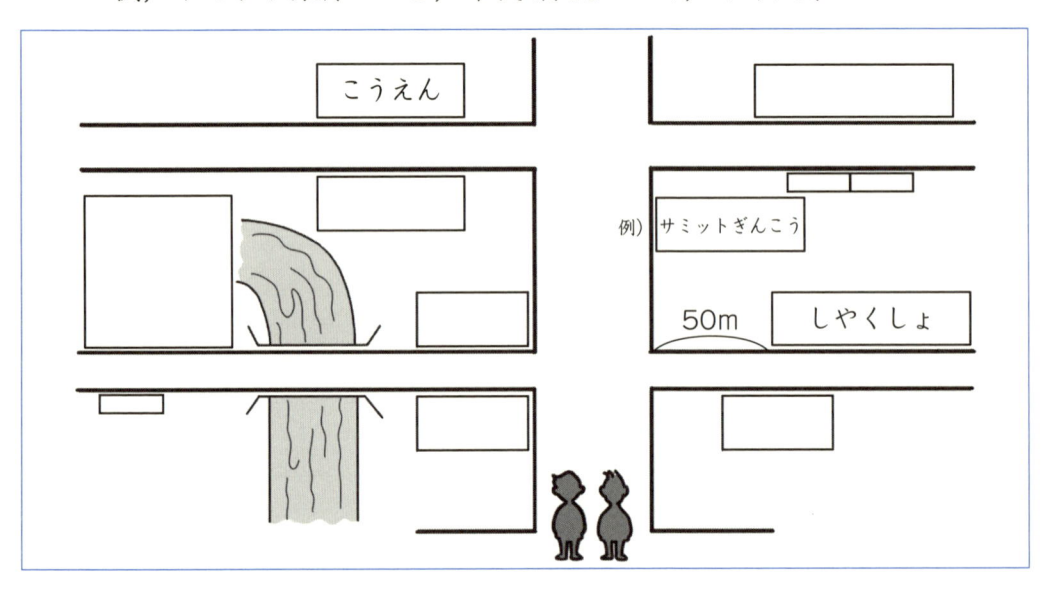

24

2-4. P.10

A：お相撲さんに会えるところへ行きたいんですが……。
B：両国のツアーはいかがですか。お相撲さんに会えますよ。

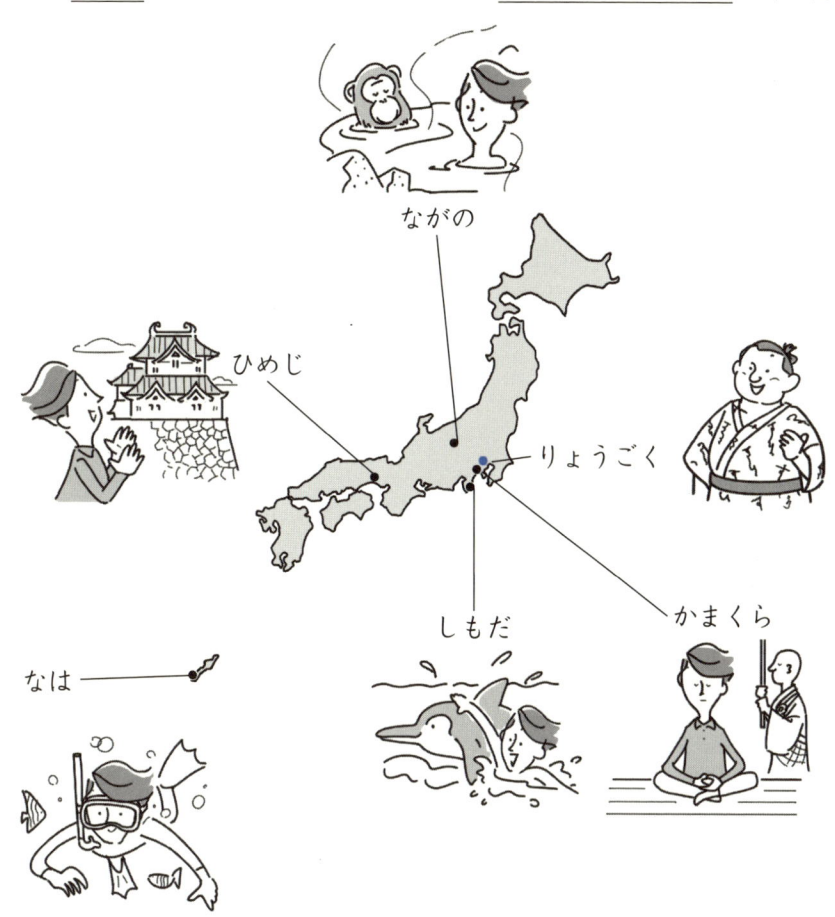

25

使いましょう 1　P.18

1)

A
・来週サッカーの試合があります。
・メンバーが1人足りません。
・Bさんを誘ってください。

B
・サッカーの試合に出るかどうか決めて、答えてください。

2)

A
・昨日車の免許を取りました。
・運転が怖いです。
・Bさんに一緒に乗ってもらいたいです。

B
・Aさんの車に乗るかどうか決めて、答えてください。

巻末 4. インフォメーションギャップとロールプレイ

26

3-3. 📖❓ P.23

A：（B）さん、1日暇だったら、映画を見に行きませんか。

B：すみません。
1日は先生に会わなければならないので……。

A：じゃ、6日はどうですか。

B：すみません。学会に出席しなければなりません。

A：そうですか。じゃ、また今度。

Bのスケジュール

例）

5/1	月	先生に会う
5/2	火	
5/3	水	歯医者に行く
5/4	木	
5/5	金	
5/6	土	学会に出席する

巻末

4. インフォメーションギャップとロールプレイ

28

1-3. 📖？ P.35

A：すみません。
　　その懐中電灯を貸していただけませんか。
B：この懐中電灯は電池が切れているんですよ。
A：あ、そうですか。

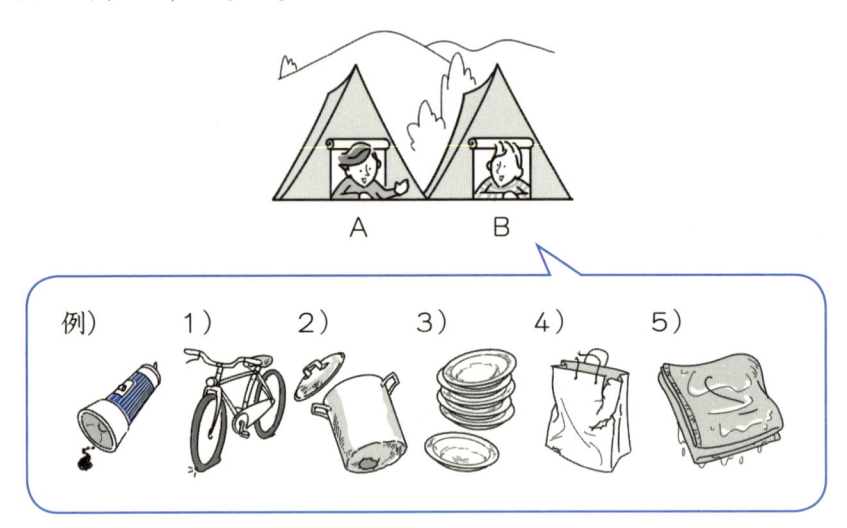

例）　1）　2）　3）　4）　5）

電池が切れる・パンクする・穴が開く・汚れる・破れる・ぬれる

巻末
4. インフォメーションギャップとロールプレイ

184

30

2-3. 📖❓ P.48

> 大きい箱ですね。何が入っているんですか。

> 新しいスーツです。
> （パーティーのとき、着よう）と思っています。

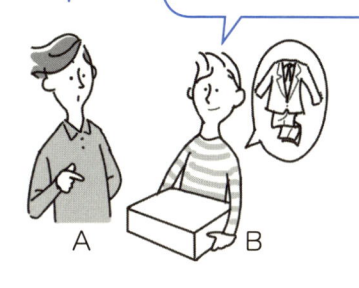

例) スーツ	パーティーのとき、着る
1)	( )
2)	( )
3)	( )
4)	
5)	
6)	

31

3-2. 📖❓ P.55

> A：Bさん、通訳は（頼んで）ありますか。

はい → B1：はい、もう（頼んで）あります。

いいえ → B2：すみません。まだです。
A　：じゃ、（頼んで）おいてください。

A　B

34

4-5. 🎤 P.76

	（　）さん	（　）さん	（　）さん
例）税金がない			
1)			
2)			
3)			

巻末
4. インフォメーションギャップとロールプレイ

35

3-3. P.81

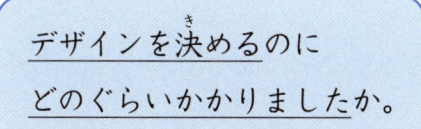

デザインを決めるのにどのぐらいかかりましたか。

3か月かかりました。

	白雪姫	城
デザインを決める・どのぐらいかかる	3か月	例）3か月
作る・何日かかる	1) 3週間	4)
作る・雪が何トン必要	2) 30トン	5)
雪を運ぶ・トラックが何台要る	3) 6台	6)

40

使いましょう P.114

B：賛成グループ
理由
① _____
② _____
③ _____

C：反対グループ
理由
① _____
② _____
③ _____

巻末 4. インフォメーションギャップとロールプレイ

執筆者

山﨑佳子　元東京大学大学院工学系研究科
石井怜子
佐々木薫
高橋美和子
町田恵子　元公益財団法人アジア学生文化協会日本語コース

執筆協力者

白井香織
江上清子

本文イラスト

内山洋見

カバーイラスト

宮嶋ひろし

装丁・本文デザイン

山田武

日本語初級2大地
メインテキスト

2009年10月 1 日　初版第 1 刷発行
2025年 3 月21日　第 17 刷 発 行

著　者　山﨑佳子　石井怜子　佐々木薫　高橋美和子　町田恵子
発行者　藤嵜政子
発　行　株式会社スリーエーネットワーク
　　　　〒102-0083　東京都千代田区麹町3丁目4番
　　　　　　　　　　トラスティ麹町ビル2F
　　　　電話　営業　03（5275）2722
　　　　　　　編集　03（5275）2725
　　　　https://www.3anet.co.jp/
印　刷　倉敷印刷株式会社

ISBN978-4-88319-507-7　C0081
落丁・乱丁本はお取替えいたします。
本書の全部または一部を無断で複写複製（コピー）することは著作権法上での例外を除き、禁じられています。

日本語学校や大学で日本語を学ぶ外国人のための日本語総合教材

大地

■初級1

日本語初級1大地　メインテキスト
山﨑佳子・石井怜子・佐々木薫・高橋美和子・町田恵子●著
B5判　195頁＋別冊解答46頁　CD1枚付　3,080円（税込）〔978-4-88319-476-6〕

日本語初級1大地　文型説明と翻訳
〈英語版〉〈中国語版〉〈韓国語版〉〈ベトナム語版〉〈タイ語版〉〈ネパール語版〉
山﨑佳子・石井怜子・佐々木薫・高橋美和子・町田恵子●著　B5判　162頁　2,200円（税込）
英語版〔978-4-88319-477-3〕　　中国語版〔978-4-88319-503-9〕
韓国語版〔978-4-88319-504-6〕　　ベトナム語版〔978-4-88319-749-1〕
タイ語版〔978-4-88319-954-9〕　　ネパール語版〔978-4-88319-967-9〕

日本語初級1大地　基礎問題集
土井みつる●著　B5判　60頁＋別冊解答12頁　990円（税込）〔978-4-88319-495-7〕

文法まとめリスニング　初級1―日本語初級1　大地準拠―
佐々木薫・西川悦子・大谷みどり●著
B5判　53頁＋別冊解答42頁　CD2枚付　2,420円（税込）〔978-4-88319-754-5〕

ことばでおぼえる　やさしい漢字ワーク　初級1―日本語初級1　大地準拠―
中村かおり・伊藤江美・梅津聖子・星野智子・森泉朋子●著
B5判　135頁＋別冊解答7頁　1,320円（税込）〔978-4-88319-779-8〕

新装版　日本語初級1大地　教師用ガイド「教え方」と「文型説明」
山﨑佳子・佐々木薫・高橋美和子・町田恵子●著
B5判　183頁　2,530円（税込）〔978-4-88319-958-7〕

■初級2

日本語初級2大地　メインテキスト
山﨑佳子・石井怜子・佐々木薫・高橋美和子・町田恵子●著
B5判　187頁＋別冊解答44頁　CD1枚付　3,080円（税込）〔978-4-88319-507-7〕

日本語初級2大地　文型説明と翻訳
〈英語版〉〈中国語版〉〈韓国語版〉〈ベトナム語版〉
山﨑佳子・石井怜子・佐々木薫・高橋美和子・町田恵子●著　B5判　156頁　2,200円（税込）
英語版〔978-4-88319-521-3〕　　中国語版〔978-4-88319-530-5〕
韓国語版〔978-4-88319-531-2〕　　ベトナム語版〔978-4-88319-759-0〕

日本語初級2大地　基礎問題集
土井みつる●著　B5判　56頁＋別冊解答11頁　990円（税込）〔978-4-88319-524-4〕

文法まとめリスニング　初級2―日本語初級2　大地準拠―
佐々木薫・西川悦子・大谷みどり●著
B5判　48頁＋別冊解答50頁　CD2枚付　2,420円（税込）〔978-4-88319-773-6〕

ことばでおぼえる　やさしい漢字ワーク　初級2―日本語初級2　大地準拠―
中村かおり・伊藤江美・梅津聖子・星野智子・森泉朋子●著
B5判　120頁＋別冊解答7頁　1,320円（税込）〔978-4-88319-782-8〕

新装版　日本語初級2大地　教師用ガイド「教え方」と「文型説明」
山﨑佳子・佐々木薫・高橋美和子・町田恵子●著
B5判　160頁　2,530円（税込）〔978-4-88319-959-4〕

日本語学習教材の
スリーエーネットワーク

https://www.3anet.co.jp/
ウェブサイトで新刊や日本語セミナーを紹介しております
営業　TEL:03-5275-2722　　FAX:03-5275-2729

日本語初級② 大地
だいち

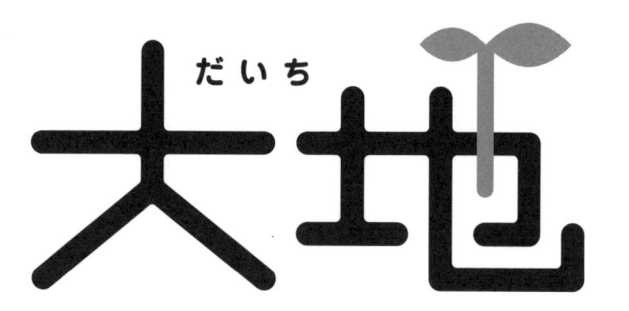

別冊解答

スリーエーネットワーク

23

1-1. 1）大きくなりました。 2）暖かくなりました。
3）きれいになりました。 4）元気になりました。
5）おなかが痛くなりました。 6）100歳になりました。
7）汚くなりました。 8）12時になりました。

1-2. 1）ビルが多くなりました。 2）らくだが少なくなりました。
3）町が大きく／にぎやかになりました。 4）木が大きくなりました。
5）湖が小さくなりました。 6）交通が便利になりました。
7）（車が多くなりました。）

1-3. 1）ペットボトルは服やカーペットになります。
2）天ぷら油は石けんになります。
3）牛乳パックはトイレットペーパーになります。
4）瓶は道路を作る材料になります。

2-1. 1）中に入ると、電気がつきます。 2）ボタンを押すと、水が出ます。
3）立つと、水が流れます。 4）外へ出ると、電気が消えます。

2-2. 1）（ビールをたくさん飲む）と、頭が痛くなります。
2）（毎朝ジョギングをする）と、体が丈夫になります。
3）（手紙をもらう）と、うれしいです。

2-3. 1）100メートル行くと、左に銀行があります。
2）交差点を左に曲がると、右にスーパーがあります。
3）橋を渡ると、左に図書館があります。
4）2つ目の交差点を右に曲がると、左にコンビニがあります。

2-4. 1）A：市役所へ行きたいんですが。

　　　　B：市役所ですか。
　　　　B：あの交差点を右に曲がって、50メートル行くと、左にありますよ。
　2) A：公園へ行きたいんですが。
　　　　B：公園ですか。
　　　　B：2つ目の交差点を左に曲がると、右にありますよ。
　3) A：市民病院へ行きたいんですが。
　　　　B：市民病院ですか。
　　　　B：あの交差点を左に曲がって、橋を渡ると、右にありますよ。
　4) A：ゆり大学へ行きたいんですが。
　　　　B：ゆり大学ですか。
　　　　B：2つ目の交差点を右に曲がると、左にありますよ。

3. 1) A：ちょっとトイレに行って来ますから、ここで待っていてください。
　 2) A：ちょっと道を聞いて来ますから、ここで待っていてください。
　 3) A：ちょっとパンフレットをもらって来ます／取って来ますから、ここで待っていてください。
　 4) A：ちょっと荷物を預けて来ますから、ここで待っていてください。
　 5) A：ちょっと電車の時間を見て来ますから、ここで待っていてください。

24

1. 1) 教えられる　2) 走れる　3) 立てる　4) 来られる　5) 借りられる
　 6) 運転できる　7) 飲める　8) 会える　9) 遊べる　10) 下ろせる

2-1. 1) マリーさんは5か国語が話せます。
　　 2) マリーさんは片手で卵が割れます。
　　 3) マリーさんはトラックが運転できます。
　　 4) マリーさんはどこででも寝られます。
　　 5) マリーさんは1キロ泳げます。

2-2. (先生はおいしいケーキが作れる)と思います。

2-3. 1) A：コンビニで何ができますか。
　　　　 B：(荷物が送れます／電話料金が払えます／本の注文ができます／チケットの予約ができます。)(荷物が送れます。それに、電話料金も払えます。)
　　　 2) A：海で何ができますか。
　　　　 B：(泳げます／船に乗れます／釣りができます／おいしい魚が食べられます／友達と遊べます／きれいな景色が見られます／いい写真が撮れます。)
　　　　　(船に乗れます。それに、釣りもできます。)
　　　 3) A：(北海道)で何ができますか。
　　　　 B：(スキーができます／おいしい魚が食べられます／珍しい花が見られます。)(スキーができます。それに、珍しい花も見られます。)

2-4. 1) A：猿と一緒に温泉に入れるところへ行きたいんですが……。
　　　　 B：長野のツアーはいかがですか。猿と一緒に温泉に入れますよ。
　　　 2) A：イルカと遊べるところへ行きたいんですが……。
　　　　 B：下田のツアーはいかがですか。イルカと遊べますよ。
　　　 3) A：きれいな城が見られるところへ行きたいんですが……。
　　　　 B：姫路のツアーはいかがですか。きれいな城が見られますよ。
　　　 4) A：ダイビングができるところへ行きたいんですが……。
　　　　 B：那覇のツアーはいかがですか。ダイビングができますよ。
　　　 5) A：座禅ができるところへ行きたいんですが……。
　　　　 B：鎌倉のツアーはいかがですか。座禅ができますよ。

2-5. 1) A：いつでも使えますか／入れますか。
　　　　 B：いいえ、夜しか使えません／入れません。
　　　 2) A：大人でも入れますか／泳げますか。
　　　　 B：いいえ、子供しか入れません／泳げません。
　　　 3) A：3人乗れますか。　B：いいえ、2人しか乗れません。
　　　 4) A：小さい子供でも乗れますか。
　　　　 B：いいえ、120センチ以上の人しか乗れません。

2-6. 1) A：この図書館、パソコンで本、探せる？　B：探せるよ。
2) A：この図書館、インターネットで論文、調べられる？　B：調べられるよ。
3) A：この図書館、本、予約できる？　B：できるよ。
4) A：この図書館、新しい本、買ってもらえる？　B：買ってもらえるよ。
5) A：この図書館、(映画、見られる)？　B：(見られる)よ。

3. 1) うちの息子は話せるようになりました／ママと言えるようになりました。
2) うちの息子は一人で食べられるようになりました。
3) うちの息子は走れるようになりました。
4) うちの息子は自転車に乗れるようになりました。
5) うちの息子はボールが投げられるようになりました。

4-1. 1) けがをして、歩けなくなりました。
2) けがをして、走れなくなりました。
3) けがをして、デートできなくなりました。
4) けがをして、飲みに行けなくなりました。／お酒が飲めなくなりました。
5) けがをして、(自転車に乗れ)なくなりました。

4-2. (日本語で電話がかけられる)ようになりました。
(友達とサッカーができ)なくなりました。

使いましょう

① A：お名前は？　B：(トム・ジョーダン)です。
② A：お国はどちらですか。　B：(カナダ)です。
③ A：何歳ですか。　B：(21歳)です。
④ A：アルバイトの許可証を持っていますか／許可証がありますか。
　 B：はい、持っています／あります／いいえ、持っていません／ありません。
⑤ A：キャンプ場で働いたことがありますか。
　 B：はい、あります／いいえ、ありません。
⑥ A：どうしてキャンプ場で働きたいですか。　B：(山が好きですから。)

キャンプ場　⑦　ア〜ウ
　　A：木に登れますか。　B：はい、登れます／いいえ、登れません。
　　A：川で泳げますか。　B：はい、泳げます／いいえ、泳げません。
　　A：重いものが運べますか。　B：はい、運べます／いいえ、運べません。

1) 保育園　ア〜ウ
　　A：歌が歌えますか。　B：はい、歌えます／いいえ、歌えません。
　　A：絵がかけますか。　B：はい、かけます／いいえ、かけません。
　　A：ダンスができますか。　B：はい、できます／いいえ、できません。
　　A：折り紙が折れますか。　B：はい、折れます／いいえ、折れません。

2) 会社　ア〜ウ
　　A：パソコンができますか。　B：はい、できます／いいえ、できません。
　　A：車の運転ができますか。　B：はい、できます／いいえ、できません。
　　A：日曜日働けますか。　B：はい、働けます／いいえ、働けません。
　　A：きれいな字が書けますか。　B：はい、書けます／いいえ、書けません。

25

1-1. 1) Bさんは声がきれいなので、人気があります。
　　2) Bさんは歌が上手なので、人気があります。
　　3) Bさんは詩が書けるので、人気があります。
　　4) Bさんは曲が作れるので、人気があります。
　　5) Bさんはユーモアがあるので、人気があります。
　　6) Bさんは独身なので、人気があります。
　　7) Bさんは（ギターが上手な）ので、人気があります。

1-2. 1) （2時間テニスをした）ので、疲れました。
　　2) （バスが来なかった）ので、授業に遅れました。
　　3) （朝寝坊した）ので、授業に遅れました。
　　4) （今日は宿題がある）ので、友達と一緒に映画を見に行けません。
　　5) （あした試験な）ので、友達と一緒に映画を見に行けません。

2-1. 1) 何時に京都に着くか、調べます。　2) 何時間かかるか、調べます。
3) ホテルは1泊いくらか、調べます
4) どのレストランが安くておいしいか、調べます。

2-2. 1) どんなデータが必要か、考えました／先生に聞きました。
2) どうやってデータを集めるか、考えました／決めました／先生に聞きました。
3) どの資料を使うか、考えました／決めました／先生に聞きました。
4) いつが締め切りか、先生に聞きました。

3-1. 1) A：犯人は男でしたか。
　　　B：さあ、男だったかどうか、分かりません。
2) A：犯人は髪が短かったですか。
　　　B：さあ、髪が短かったかどうか、分かりません。
3) A：犯人はナイフを持っていましたか。
　　　B：さあ、ナイフを持っていたかどうか、分かりません。
4) A：犯人は手袋をしていましたか。
　　　B：さあ、手袋をしていたかどうか、分かりません。
5) A：犯人は背が高かったですか。
　　　B：さあ、背が高かったかどうか、分かりません。

3-2. 1) A：このカードが使えますか。　B：さあ、使えるかどうか、分かりません。
2) A：みどり町までどのぐらいかかりますか。
　　　B：さあ、どのぐらいかかるか、分かりません。
3) A：市民センターはバス停から近いですか。
　　　B：さあ、近いかどうか、分かりません。
4) A：みどり町はいくつ目のバス停ですか。
　　　B：さあ、いくつ目のバス停か、分かりません。

4-1. 1) A：もう資料を集めましたか。
　　　B：いいえ、まだ集めていません。これから集めます。
2) A：もうレポートを書きましたか。

　　　　Ｂ：いいえ、まだ書いていません。これから書きます。
　3）Ａ：もうレポートを出しましたか。
　　　　Ｂ：いいえ、まだ出していません。これから出します。
　4）Ａ：もう発表の準備をしましたか。
　　　　Ｂ：いいえ、まだしていません。これからします。

4-2. 1）Ａ：もう資料、集めた？
　　　　Ｂ：ううん、まだ集めてない。これから集めるつもり。
　2）Ａ：もうレポート、書いた？
　　　　Ｂ：ううん、まだ書いてない。これから書くつもり。
　3）Ａ：もうレポート、出した？
　　　　Ｂ：ううん、まだ出してない。これから出すつもり。
　4）Ａ：もう発表の準備、した？
　　　　Ｂ：ううん、まだしてない。これからするつもり。

使いましょう 1

　1）Ａ ：Ｂさん、（サッカーができます）か。
　　　Ｂ ：（はい、できます。）
　　　Ａ ：実は来週サッカーの試合があります。
　　　　　メンバーが1人足りないので、来てくださいませんか。
　　　Ｂ2：（発表の準備が終わっていない）ので……。
　2）Ａ ：Ｂさん、（今日暇です）か。
　　　Ｂ ：（はい、暇です。）
　　　Ａ ：実は昨日車の免許を取りました。
　　　　　運転が怖いので、一緒に乗ってくださいませんか。
　　　Ｂ2：（車があまり好きじゃない）ので……。

使いましょう 2

　　（明るい部屋が好きな）ので、（日当たりがいい）／（車で会社へ行く）ので、
（駐車場がある）／（朝早く出かける）ので、（駅から近い）／（スーパーで買い
物する時間がない）ので、（近くにコンビニがある）アパートを探しています。

わたしは(部屋が広いかどうか／駐車場があるかどうか／家賃がいくらか／駅からどのぐらいかかるか／駅から近いかどうか／日当たりがいいかどうか／近くにコンビニがあるかどうか／ペットを飼ってもいいかどうか)、確認します。

26

1-1.
1) 寂しいとき、(友達に電話をかけます)。
2) 頭が痛いとき、(薬を飲みます)。
3) 暇なとき、(公園を散歩します)。
4) ラッシュアワーのとき、(座れません)。
5) デートのとき、(新しい服を着ます)。

1-2.
1) 病院へ行くとき、保険証が要ります。
2) 図書館で本を借りるとき、貸し出しカードが要ります。
3) 新幹線に乗るとき、特急券が要ります。
4) 日本の大学に留学するとき、ビザが要ります。

1-3.
1) B：セルフタイマーを使うとき、どうしますか。
2) B：充電するとき、どうしますか。
3) B：フラッシュを使わないとき、どうしますか。
4) B：動画を撮るとき、どうしますか。
5) B：日付を入れないとき、どうしますか。

2-1.
1) 広島へ行くとき、初めて新幹線に乗りました。
2) 広島へ行くとき、駅でお弁当を買いました。
3) 広島へ行くとき、富士山が見えました／富士山を見ました。
4) 広島へ行ったとき、旅館に泊まりました。
5) 広島へ行ったとき、おいしいお菓子を買いました。
6) 広島へ行ったとき、写真を撮りました。

2-2. 1) A：Bさん、どんなとき学校を休みますか。
　　　　B：(頭が痛い)とき、休みます。
　　2) A：Bさん、どんなとき泣きたくなりますか。
　　　　B：(宿題を忘れた)とき、泣きたくなります。
　　3) A：Bさん、どんなときストレスを感じますか。
　　　　B：(忙しい)とき、感じます。
　　4) A：Bさん、どんなときうれしいですか。
　　　　B：(授業が休みになった)とき、うれしいです。

3-1. 1) 覚えなければなりません　2) 払わなければなりません
　　3) 出さなければなりません　4) 働かなければなりません
　　5) 来なければなりません　6) しなければなりません

3-2. 1) サミット社では制服を着なければなりません。
　　2) サミット社では毎朝会社の歌を歌わなければなりません。
　　3) サミット社では社長の長い話を聞かなければなりません。
　　4) サミット社では残業するとき、許可をもらわなければなりません。
　　5) サミット社では毎日報告書を書かなければなりません。

3-3. A：(B)さん、1日暇だったら、映画を見に行きませんか。
　　B：1日は先生に会わなければならないので……。
　　A：じゃ、3日／6日はどうですか。
　　B：歯医者に行かなければなりません。／学会に出席しなければなりません。

　　B：(A)さん、2日暇だったら、映画を見に行きませんか。
　　A：2日はアンケート調査をしなければならないので……。
　　B：じゃ、4日／5日はどうですか。
　　A：調査結果をまとめなければなりません。／発表しなければなりません。

3-4. 1) 買い物に行かなきゃ。　2) うちへ帰らなきゃ。
　　3) (アルバイトに行か)なきゃ。

使いましょう

1) A ：（B）さんの国では小学生は英語を勉強しなければなりませんか。
   B１：はい、勉強しなければなりません。
   B２：いいえ、勉強しなくてもいいです。
2) A ：（B）さんの国では身分証明書をいつも持っていなければなりませんか。
   B１：はい、持っていなければなりません。
   B２：いいえ、持っていなくてもいいです。
3) A ：（B）さんの国ではうちに上がるとき、靴を脱がなければなりませんか。
   B１：はい、脱がなければなりません。
   B２：いいえ、脱がなくてもいいです。
4) A ：（B）さんの国ではテレビを捨てるとき、お金を払わなければなりませんか。
   B１：はい、払わなければなりません。
   B２：いいえ、払わなくてもいいです。

27

1-1.
1) B：やけどしたんです。
2) B：おなかが痛いんです。
3) B：のどが痛いんです。
4) B：気分が悪いんです。
5) B：せきが出るんです。／せきが止まらないんです／風邪を引いたんです。
6) B：アレルギーなんです。

1-2.
1) A：どうして引っ越ししたんですか。　B：（部屋が狭かった）んです。
2) A：どうしてお金が必要なんですか。　B：（ギターを買いたい）んです。
3) A：どうして残業しないんですか。　B：（これからデートな）んです。
4) A：どうして出張に行かなかったんですか。　B：（風邪を引いた）んです。

1-3. 1) A：Bさん、よくカラオケに行きますか。
　　　　　B：いいえ、行きません。(歌が下手な)んです。
　　　2) A：Bさん、夏休みに国へ帰りますか。
　　　　　B：いいえ、帰りません。(論文を書かなければならない)んです。
　　　3) A：Bさん、ペットを飼ったことがありますか。
　　　　　B：いいえ、ありません。(アレルギーな)んです。
　　　4) A：Bさん、来週暇ですか。
　　　　　B：いいえ、忙しいです／暇じゃありません。(アルバイトをする)んです。
　　　5) A：Bさん、(昨日パーティーに行きました)か。
　　　　　B：いいえ、行きませんでした。(忙しかった)んです。

1-4. 1) A：どこで買ったんですか。　B：(駅の前のスーパー)です。
　　　　　A：(すてきなシャツですね)。
　　　2) A：何を探しているんですか。　B：(猫)です。　A：(大変ですね)。
　　　3) A：だれにあげるんですか。　B：(友達)です。　A：(誕生日ですか)。
　　　4) A：だれが作ったんですか。　B：(キムさん)です。　A：(上手ですね)。

1-5. 1) A：どこで(アルバイトをした)んですか。　B：(レストランでしました)。
　　　2) A：どんな仕事を(した)んですか。　B：(ウエートレスです)。
　　　3) A：1日に何時間(働いた)んですか。　B：(1日に5時間働きました)。
　　　4) A：何日ぐらい(働いた)んですか。　B：(10日働きました)。
　　　5) A：時給はいくら(もらった)んですか／時給はいくらだったんですか。
　　　　　B：(900円もらいました／900円でした)。

2-1. 1) A：Bさん、あしたデートなんですが、(どこへ行った)らいいですか。
　　　　　B：(美術館へ行った)らどうですか。
　　　2) A：Bさん、お見舞いに行くんですが、(何を持って行った)らいいですか。
　　　　　B：(花を持って行った)らどうですか。

3) A：Bさん、勉強のし方が分からないんですが、（だれに聞いた）らいいですか。
B：（先輩に聞いた）らどうですか。

2-2. 1) A：全部で50人ぐらい来るんですが、教室を貸していただけませんか。
2) A：C先生の連絡先が分からないんですが、教えていただけませんか。
3) A：10時に始めるんですが、10時までに来ていただけませんか。
4) A：わたしたちは先生の歌が好きなんですが、歌っていただけませんか。

3. 1) ピアノを弾きながら歌います／歌いながらピアノを弾きます。
2) コーヒーを飲みながら新聞を読みます／新聞を読みながらコーヒーを飲みます。
3) ポップコーンを食べながら映画を見ます／映画を見ながらポップコーンを食べます。
4) 音楽を聞きながら運転します／運転しながら音楽を聞きます。
5) 働きながら勉強します／勉強しながら働きます／アルバイトしながら学校に通っています／学校に通いながらアルバイトしています。

友達の会話
1) A：何するの？　B：（釣り）。　A：（へえ、うらやましいなあ）。
2) A：何で行くの？　B：（車）。　A：（わたしも行きたいなあ）。
3) A：だれと行くの？　B：（リンさん）。　A：（いいね）。
4) A：いつ帰るの？　B：（9日）。　A：（お土産、買って来て）。

使いましょう
1) アルバイトをしながら好きな音楽の活動をしたいからです。
2) けんじさんの将来を心配しているから反対していると思っています。
3) 大学へ行きながら音楽の活動を続けたらいいと言いました。

まとめ5

1-1. 1) はこべる　2) つかえる　3) およげる　4) でられる　5) かりられる
　　　6) できる　7) こられる

1-2. 1) よむんです　2) ないんです　3) きいたんです　4) わからなかったんです
　　　5) いいんです　6) ひまなんです　7) あめなんです

2. 1) 富士山が見えます。　2) ゲームができます。
　　3) 雑誌が読めます。　4) 音楽が聞けます。
　　5) お土産が買えます。　6) ワインが飲めます。
　　7) アイスクリームが食べられます。

3. 1) 図書館／図書室　2) 空港　3) 耳　4) 眼鏡

4. 1) 8度ぐらいです。　2) セーターや雨具を持って行かなければなりません。
　　3) 下りるときのほうが危ないです。

28

1-1. 1) エアコンがついています。　2) シャツが破れています。
　　　3) コップが割れています。　4) 自転車が止まっています。
　　　5) 木が倒れています。　6) 虫が入っています。　7) かぎがかかっています。

1-2. 1) B：あ、電気もついている。　2) B：あ、引き出しも開いている。
　　　3) B：あ、金庫もなくなっている。　4) B：あ、床もぬれている。
　　　5) B：あ、花瓶も倒れている／落ちている。　6) B：あ、書類も落ちている。
　　　7) B：あ、木も折れている。

1-3. 1) A：その自転車を貸していただけませんか。
　　　　B：この自転車はパンクしているんですよ。
　　　2) A：そのなべを貸していただけませんか。
　　　　B：このなべは穴が開いているんですよ。
　　　3) A：そのお皿を貸していただけませんか。
　　　　B：このお皿は汚れているんですよ。
　　　4) A：その袋を貸していただけませんか。
　　　　B：この袋は破れているんですよ。
　　　5) A：その毛布を貸していただけませんか。
　　　　B：この毛布はぬれているんですよ。

2-1. 1) ニュースで見たんですが、台風で橋が壊れたそうです。
　　　 2) ニュースで見たんですが、宇宙旅行のツアーがあるそうです。
　　　 3) ニュースで見たんですが、事故で電車が止まっているそうです。
　　　 4) ニュースで見たんですが、雪祭りは2月5日だそうです。
　　　 5) ニュースで見たんですが、新しいロボットができたそうです。
　　　 6) ニュースで見たんですが、(北海道で地震があった)そうです。

2-2. (父)に聞いたんですが、(わたしは子供のとき、よく泣いた)そうです。

2-3. B1：ええ、(いい論文が書けた／プレゼントをもらった／恋人ができた／ボーナスをたくさんもらった)そうです。
　　　 B2：ええ、(論文がなかなか書けない／彼女にもらったプレゼントをなくした／恋人に会えなかった／今年はボーナスがない)そうです。

3-1. 1) 速く歩きます。　2) 上手に押します／説明します／使います。
　　　 3) 大切に使います。　4) 詳しく説明します。

3-2. 1) B：うーん、もう少し強く踏んで。
　　　 2) B：うーん、もう少し薄く延ばして。
　　　 3) B：うーん、もう少しきれいに畳んで。

4）B：うーん、もう少し細く切って。

4. 1）子供の声がします。　2）風の音がします。
3）パンのにおいがします。　4）変なにおいがします。
5）みかんの味がします。

使いましょう 1

1）B：まだ道が歩けないんです。ガラスがたくさん落ちていて……。
2）B：まだ車が通れないんです。木が倒れていて……。
3）B：まだお風呂に入れないんです。水道が止まっていて……。
4）B：まだ料理ができないんです。ガスが止まっていて……。

29

1-1. うちの学食は量が多いし、／野菜がたくさん食べられるし、／メニューが豊富だし、／栄養のバランスがいいし、／おいしいし、／週末も営業しているし、／景色がいいし、／（富士山が見える）し、とてもいいです。

1-2. B：きれい好きだし、／活発だし、／面白いし、／我慢強いし、／一生懸命働くし、／よく気がつくし、それに（よく勉強します）よ。

1-3. 1）A：都会と田舎とどちらがいいですか。
　　B：わたしは都会のほうがいいと思います。（交通が便利だ）し、（働くところがたくさんあります）から。
　　C：わたしは田舎のほうがいいと思います。（緑が多い）し、（家賃が安いです）から。
2）A：外食と自炊とどちらがいいですか。
　　B：わたしは外食のほうがいいと思います。（いろいろな料理が食べられる）し、（わたしが作った料理よりおいしいです）から。
　　C：わたしは自炊のほうがいいと思います。（料理は楽しい）し、（好きなも

のが食べられます）から。

2-1.
1) わたしは毎日野菜ジュースを飲むことにしました。
2) わたしは駅まで20分歩くことにしました。
3) わたしはエレベーターを使わないことにしました。
4) わたしは毎朝体操することにしました。
5) わたしは運転しないことにしました。

2-2.
1) A ：日本で就職するかどうか、もう決めましたか。
   B1：迷いましたが、日本で就職することにしました。
   A ：(頑張ってください)。
   B2：迷いましたが、日本で就職しないことにしました。
   B2：(両親が待っている)ので。
2) A ：ペットを飼うかどうか、もう決めましたか。
   B1：迷いましたが、飼うことにしました。
   A ：(何を飼うんですか)。
   B2：迷いましたが、飼わないことにしました。
   B2：(出張が多い)ので。
3) A ：アルバイトを続けるかどうか、もう決めましたか。
   B1：迷いましたが、続けることにしました。
   A ：(頑張ってください)。
   B2：迷いましたが、続けないことにしました。
   B2：(勉強が忙しい)ので。

3.
1) B：バンコク支店を作ることになりました。
2) B：制服をやめることになりました。
3) B：新しい製品を開発することになりました。
4) B：コンピューターのシステムを変えることになりました。
5) B：今年は新入社員を募集しないことになりました。

4.
1) ここでは食事のまえに、掃除することになっています。

2）ここでは料理に肉や魚を入れないことになっています。
3）ここでは1日に3回座禅をすることになっています。
4）ここでは携帯電話を使ってはいけないことになっています。
5）ここでは夜10時に寝ることになっています。

使いましょう

B：わたしはすばる電気を受けることにしました。専門の研修が受けられるし、／社員寮があるし、／残業がないし、いい会社だと思います。

B：わたしはみどり電気を受けることにしました。独身寮があるし、／アメリカに留学できるし、／フレックスタイムだし、いい会社だと思います。

B：わたしはサミット電気を受けることにしました。新しい会社だし、／経験がなくても大丈夫だし、／中国にも支店ができるし、いい会社だと思います。

30

1. 1）行こう 2）出そう 3）待とう 4）遊ぼう 5）読もう 6）帰ろう
7）起きよう 8）ためよう 9）来よう 10）勉強しよう

2-1. 1）メールをしようと思っています。 2）天ぷらを食べようと思っています。
3）車の免許を取ろうと思っています。 4）絵をかこうと思っています。
5）結婚しようと思っています。 6）お金を下ろそうと思っています。
7）（友達に電話しよう）と思っています。

2-2. 1）B：まだ分かりませんが、富士山に登ろうと思っています。
　　　A：わたしは（海へ行こう）と思っています。
2）B：まだ分かりませんが、友達に会おうと思っています。
　　　A：わたしは（アルバイトをしよう）と思っています。
3）B：まだ分かりませんが、犬小屋を作ろうと思っています。
　　　A：わたしは（フランス語を勉強しよう）と思っています。
4）B：まだ分わかりませんが、旅行しようと思っています。

A：わたしは（家でレポートを書こう）と思っています。
5) B：まだ分かりませんが、生け花を習おうと思っています。
　　　A：わたしは（引っ越ししよう）と思っています。

2-3. 1) B：ケーキです。（3時にみんなで食べよう）と思っています。
2) B：うさぎです。（うちで飼おう）と思っています。
3) B：1億円です。（大きい船を買おう）と思っています。
4) B：花束です。（恋人にあげよう）と思っています。
5) B：望遠鏡です。（星を見よう）と思っています。
6) B：なべです。（カレーを作ろう）と思っています。

2-4. 1) A：Bさん、カメラを持って来ましたか。
　　　B：いいえ、持って来ようと思っていたんですが、持って来られませんでした。
2) A：Bさん、彼／彼女にプレゼントを渡しましたか。
　　　B：いいえ、渡そうと思っていたんですが、渡せませんでした。
3) A：Bさん、スピーチを覚えましたか。
　　　B：いいえ、覚えようと思っていたんですが、覚えられませんでした。
4) A：Bさん、日本語で発表しましたか。
　　　B：いいえ、しようと思っていたんですが、できませんでした。
5) A：Bさん、彼／彼女に告白しましたか。
　　　B：いいえ、しようと思っていたんですが、できませんでした。

3-1. 1) 新しい車を買うために、お金をためています／働いています／（アルバイトをしています）。
2) 論文を書くために、資料を集めています／（アンケート調査をしています）。
3) 日本の習慣を知るために、ドラマを見ています／（日本語を勉強しています）。
4) いい人間関係を作るために、大きい声であいさつをしています／（一緒に食事したり、カラオケに行ったりしています）。
5) 将来のために、勉強しています／働いています／お金をためています／（中国語を勉強しています）。

3-2. 1) A：ええ、道路を作るために、行くんです。
2) A：ええ、井戸を掘るために、行くんです。
3) A：ええ、学校や病院を建てるために、行くんです。
4) A：ええ、病気の人を助けるために、行くんです。
5) A：ええ、子供に音楽を教えるために、行くんです。

友達の会話 1

1) A：暇だね。　B：うん、どこか行きたいね。
　　A：じゃ、映画、見に行こうか。
2) A：疲れたね。　B：うん、休みたいね。
　　A：じゃ、あのベンチに座ろうか。

友達の会話 2

1) A：テレビ、消そうか。　B：うん、消してくれる？
2) A：ご飯、温めようか。　B：うん、温めてくれる？
3) A：お皿、洗おうか。　B：うん、洗ってくれる？
4) A：水、持って来ようか。　B：うん、持って来てくれる？
5) A：ピザ、注文しようか。　B：うん、注文してくれる？

使いましょう

（たくさん歩こう／朝早く起きよう！）
（電車を使おう／部屋を出るとき、電気を消そう／リサイクルしよう／買い物のとき、袋を持って行こう！）

31

1-1. 1) 恋人が来るので、ごみを捨てておきます。
2) 恋人が来るので、料理を作っておきます。
3) 恋人が来るので、ワインを冷やしておきます。
4) 恋人が来るので、花を飾っておきます。

5) 恋人が来るので、汚い靴下をしまっておきます。
6) 恋人が来るので、危ない雑誌を隠しておきます。

1-2. 1) 授業が終わったら、窓を閉めておいてください。
2) 授業が終わったら、電気を消しておいてください。
3) 授業が終わったら、いすを片付けておいてください。
4) 授業が終わったら、プラグを抜いておいてください。
5) 授業が終わったら、かぎをかけておいてください。

2. 1) A：ジュースを冷蔵庫に入れましょうか。
B：出しておいてください。
2) A：カーテンを閉めましょうか。
B：開けておいてください。
3) A：エアコンを消しましょうか。
B：つけておいてください。
4) A：いすを運びましょうか。
B：置いておいてください。
5) A：テーブルをふきましょうか。
B：そのままにしておいてください。

3-1. 1) テーブルの上にポットとお菓子が置いてあります。
2) テーブルの周りに座布団が並べてあります。
3) 壁に山の絵が掛けてあります。
4) 箱に浴衣が入れてあります。
5) 壁に非常口の案内が張ってあります。

3-2. 1) A ：Bさん、資料のコピーは（配って）ありますか。
A ：じゃ、（配って）おいてください。
2) A ：Bさん、スケジュール表は（張って）ありますか。
B１：はい、もう（張って）あります。
3) A ：Bさん、スクリーンは（セットして）ありますか。

　　　　　B1：はい、もう（セットして）あります。
　　4）A　：Bさん、水は（並べて）ありますか。
　　　　　A　：じゃ、（並べて）おいてください。

4-1. 1）ビールを飲みすぎました。　2）カラオケで歌を歌いすぎました。
　　　3）ゲームをしすぎました。

4-2. 1）大きすぎます。　2）複雑すぎます。　3）辛すぎます。　4）高すぎます。

4-3. （お酒を飲み／問題が難し）すぎて、頭が痛いです。

5. 1）静かにしてください。　2）安くしてください。　3）A4にしてください。
　　　4）短くしてください。

使いましょう
　　1）警察の届けを出しました。トイレを準備しました。水を100本買いました。
　　2）外国語のポスターを張ります。水を100本買います。
　　3）（道を掃除して、きれいにしたらいいと思います）。

32

1-1. 1）インフルエンザがはやっていますから、マスクをしたほうがいいですよ。
　　　2）インフルエンザがはやっていますから、うがいをしたほうがいいですよ。
　　　3）インフルエンザがはやっていますから、ビタミンCを取ったほうがいいですよ。
　　　4）インフルエンザがはやっていますから、（ゆっくり休んだ）ほうがいいですよ。

1-2. 1）出かけないほうがいいですよ。
　　　2）無理をしないほうがいいですよ。
　　　3）お風呂に入らないほうがいいですよ。
　　　4）（冷たいものを飲まない）ほうがいいですよ。

1-3. 1) Ｂ：熱、39度あるんだ。
　　　　Ａ：えっ、（今日、仕事、しない）ほうがいいよ。
　　2) Ｂ：キャッシュカード、ないんだ。
　　　　Ａ：えっ、（すぐ銀行に連絡した）ほうがいいよ。
　　3) Ｂ：パソコンの調子、悪いんだ。
　　　　Ａ：えっ、（パソコンの会社に電話した）ほうがいいよ。
　　4) Ｂ：変な人、いるんだ。
　　　　Ａ：えっ、（すぐ警察に連絡した）ほうがいいよ。

2-1. 1) 交通事故に遭うかもしれません。
　　2) カードをなくすかもしれません。
　　3) 店のものを壊すかもしれません。
　　4) 飛行機が落ちるかもしれません。

2-2. 1) （台風が来る）かもしれません。（早く帰った）ほうがいいですね。
　　2) （リンさんの）かもしれません。（連絡した）ほうがいいですね。
　　3) （遅れる）かもしれません。（電話をかけた）ほうがいいですね。

3-1. 1) わたしは帽子をかぶってパーティーに参加します。
　　2) わたしはローラースケートを履いてパーティーに参加します。
　　3) わたしは着物を着てパーティーに参加します。
　　4) わたしはサングラスを掛けてパーティーに参加します。
　　5) わたしはお面をつけてパーティーに参加します。

3-2. 1) 水を飲まないで3日頑張りました。
　　2) 包丁を使わないで料理をしました。
　　3) 魚を焼かないで食べました。
　　4) 休まないで船を作りました。
　　5) 寝ないで船を待ちました。

3-3. 1) Ａ：Ｂさんは砂糖を入れて飲みますか。

　　　　B：はい、入れて飲みます／いいえ、入れないで飲みます。
2）A：Bさんはソースをかけて食べますか。
　　　　B：はい、かけて食べます／いいえ、かけないで食べます。
3）A：Bさんはケチャップをつけて食べますか。
　　　　B：はい、つけて食べます／いいえ、つけないで食べます。
4）A：Bさんは牛乳を温めて飲みますか。
　　　　B：はい、温めて飲みます／いいえ、温めないで飲みます。
5）A：Bさんはパンを焼いて食べますか。
　　　　B：はい、焼いて食べます／いいえ、焼かないで食べます。

使いましょう 1

1）B：わたしは桜の木を植えないほうがいいと思います。(桜の木を植えると、公園が狭くなります) から。
　　C：わたしは植えたほうがいいと思います。(きれいだし、春には花見ができます) から。

2）B：わたしは池を作らないほうがいいと思います。(子供が池に落ちるかもしれません) から。
　　C：わたしは作ったほうがいいと思います。(池の中の魚を見たり、散歩したりできます) から。

3）B：わたしは自動販売機を置かないほうがいいと思います。(ごみが増えると思います) から。
　　C：わたしは置いたほうがいいと思います。(お茶や水が買えます) から。

4）B：わたしは喫茶店を作らないほうがいいと思います。(人がたくさん来て、公園がうるさくなると思います) から。
　　C：わたしは作ったほうがいいと思います。(お茶を飲んだり、ちょっと休んだりしたいです) から。

5）B：わたしは（午後8時に公園を閉めない）ほうがいいと思います。(夜ジョギングする人がいるかもしれません) から。
　　C：わたしは（閉めた）ほうがいいと思います。(夜は危ないです) から。

使いましょう 2

1) A：未来の車はどうなると思いますか。
   B：今は（道路を走っています）。しかし、100年後は（空を飛ぶ）かもしれません。（わたしは空を飛ぶ車が欲しいです）。

2) A：未来の薬はどうなると思いますか。
   B：今は（いろいろな薬があります）。しかし、100年後は（薬は1つになる）かもしれません。（どんな病気でも治ると思います）。

3) A：未来の（ロボット）はどうなると思いますか。
   B：今は（工場で働くロボットが多いです）。しかし、100年後は（家で働くロボットが増える）かもしれません。（ロボットに料理を作ってもらいたいです）。

まとめ6

1. 1) まとう 2) およごう 3) みせよう 4) こよう 5) しよう

2-1. 1) 電気が消えました。 2) 目が光りました。 3) 大きい人形が倒れました。 4) お化けが出ました。

2-2. 1) 車のかぎをかけました。 2) 家のドアを開けました。 3) 電気をつけました。 4) 水を出しました。

3. 1) いいえ、行ったことがありません。 2) お皿の色を見たら、分かります。 3) 安いし、自分で好きなすしが選べるし、いいと思っています。

33

1-1. 1) 勉強すれば 2) 頼めば 3) 考えれば 4) 拾えば 5) 持って来れば 6) 並べば 7) 待てば 8) 話せば 9) 見れば

1-2. 1) タクシーに乗れば、間に合います。　2) 走れば、間に合います。
3) 6時に起きれば、間に合います。　4) (自転車で行け)ば、間に合います。

1-3. 1) B：インターネットで／パソコンで予約すれば、安くなりますよ。
2) B：スタンプを10個集めれば、安くなりますよ。
3) B：学生証を見せれば、安くなりますよ。
4) B：クーポンを使えば、安くなりますよ。
5) B：(ツアーで行け)ば、安くなりますよ。

1-4. 1) 勉強しなければ　2) 頼まなければ　3) 考えなければ
4) 拾わなければ　5) 持って来なければ　6) 並ばなければ
7) 待たなければ

1-5. 1) ミスをしなければ、100点が取れます。
2) サボらなければ、5時までに終わります。
3) 今週できなければ、来週でもいいです。
4) 宣伝しなければ、売れません。
5) 奨学金がもらえなければ、生活できません。

1-6. 1) A：どうすれば、日本人と友達になれますか。
B：(趣味が同じ人を見つければ／日本人が嫌いじゃなければ)、友達になれます。
2) A：どうすれば、社長になれますか。
B：(友達をたくさん作れば／会社の人とけんかしなければ)、社長になれます。
3) A：どうすれば、(おいしい料理が食べられます)か。
B：(自分で作れば／古い野菜を使わなければ)、おいしい料理が食べられます。

1-7. 1) 近ければ　2) 熱心なら　3) 休みなら　4) よければ　5) きれいなら
6) 暇じゃなければ　7) 休みじゃなければ　8) おいしくなければ

1-8. 1）B：条件がよければ、働きたいです。
2）B：残業が多くなければ、働きたいです。
3）B：技術開発に熱心なら、働きたいです。
4）B：専門が生かせる仕事なら、働きたいです。
5）B：(面白い仕事なら)、働きたいです。

1-9. 1）A：ねえ、(ロックのコンサートがあるんだ)けど、一緒に行かない？
　　　B：うーん、宿題がなければ、行けるんだけど……。
2）A：ねえ、(友達のコンサートがあるんだ)けど、一緒に行かない？
　　　B：うーん、仕事が休みなら、行けるんだけど……。
3）A：ねえ、(ピアノのコンサートがあるんだ)けど、一緒に行かない？
　　　B：うーん、アルバイト代が入れば、行けるんだけど……。
4）A：ねえ、(大学のコンサートがあるんだ)けど、一緒に行かない？
　　　B：うーん、(試験がなければ)、行けるんだけど……。

2-1. 1）仙台は寒いでしょう。　2）東京は波が高いでしょう。
3）名古屋は風が強いでしょう。　4）大阪は曇りでしょう。
5）福岡は晴れるでしょう。
6）那覇は雨でしょう。雨は夕方やむでしょう。／那覇は雨ですが、夕方やむでしょう。

2-2. 1）A：わたしたちの町にスタジアムを作りましょう。
　　　B：スタジアムができれば、(有名な選手に会える／ロックコンサートができる)でしょう。
　　　C：(楽しいでしょうね)。
2）A：わたしたちの町に(空港)を作りましょう。
　　　B：(空港)ができれば、(便利になる／どこへでも簡単に行ける)でしょう。
　　　C：(市長に頼みましょう)。

使いましょう

1）この服を着れば、(宇宙を散歩できます／海の中を歩けます)。

2）この眼鏡を掛ければ、(将来が見えます／どんな人でもきれいに見えます)。
3）このヘッドホンをすれば、(動物の言葉が分かります／外国語が分かります)。
4）このジュースを飲めば (長生きできます／病気になりません)。

34

1-1. 1) A：本は？　B：1時間で読んでしまいました。
2) A：レポートは？　B：ゆうべ書いてしまいました。
3) A：パソコンは？　B：もう片付けてしまいました。
4) A：昼ご飯は？　B：10時に食べてしまいました。

1-2. 1) B：この資料を（作って）しまいたいので……。
2) B：この報告書を（まとめて）しまいたいので……。
3) B：この仕事を（して）しまいたいので……。
4) B：この書類を（読んで）しまいたいので……。

2-1. 1) 財布を落としてしまいました。　2) 靴を間違えてしまいました。
3) 会社／会議に遅れてしまいました。　4) 転んでしまいました。
5) 寝坊してしまいました。

2-2. 1) B：データを削除してしまったんです。
2) B：アドレスを間違えて送信してしまったんです。
3) B：ファイルの添付を忘れてしまったんです。
4) B：データを保存しないで終了してしまったんです。
5) B：パスワードを忘れてしまったんです。
6) B：どれが新しいファイルか分からなくなってしまったんです。

2-3. 1) B：風邪、引いちゃった。
2) B：パンクしちゃった。
3) B：転んじゃった。

3-1.
1) アランさんはネクタイをしたまま、寝ています。
2) アランさんは新聞を持ったまま、寝ています。
3) アランさんは靴下を履いたまま、寝ています。
4) アランさんはテレビをつけたまま、寝ています。
5) アランさんは窓を開けたまま、寝ています。

3-2.
1) アランさんは網棚にかばんを置いたまま、電車を降りてしまいました。
2) アランさんはポケットにお金を入れたまま、ズボンを洗ってしまいました。
3) アランさんはスリッパを履いたまま、部屋に入ってしまいました。
4) アランさんは眼鏡を掛けたまま、寝てしまいました。

4-1.
1) (犬と散歩する)のは楽しいです。
2) (夜一人で歩く)のは危ないです。
3) (携帯電話で話しながら運転する)のは危ないです。
4) (日本語で発表する)のは恥ずかしいです。
5) (知らない人と話す)のは恥ずかしいです。

4-2.
1) わたしは(計算する)のが得意です。わたしは(料理を作る)のが苦手です。
2) わたしは(歩く)のが速いです。わたしは(食べる)のが遅いです。

4-3.
1) レポートを書くのを忘れてしまいました。
2) 電話をかけるのを忘れてしまいました。
3) お金を払うのを忘れてしまいました。
4) プラグを抜くのを忘れてしまいました。
5) 薬を飲むのを忘れてしまいました。
6) (財布を持って来る)のを忘れてしまいました。

4-4.
1) A:ローラさんが会社を作るのを知っていますか。
   B:どんな会社ですか。
   A:(子供服の会社です)。
2) A:昨日事故があったのを知っていますか。

　　　　B：どんな事故ですか。

　　　　A：(飛行機の事故です)。

　3) A：アンさんが新しいロボットを開発しているのを知っていますか。

　　　　B：どんなロボットですか。

　　　　A：(掃除をするロボットです)。

4-5. A：(わたしの国では車は右を走る／学校は2月に始まる)のを知っていますか。

使いましょう

　1) 4歳のときです。

　2) いつもにこにこしていて、優しい先生でした。

　3) 一緒に歌を歌ったり、踊ったりしました。

　4) 先生が結婚して、幼稚園を辞めたからです。

35

1-1. 1) けがをしないように、ヘルメットをかぶります。

　　　2) 転ばないように、ゆっくり歩きます。

　　　3) 約束の時間に間に合うように、走ります／急ぎます。

1-2. 1) 日本語が上手になるように、(友達と日本語で話します)。

　　　2) 風邪を引かないように、(うがいをします)。

　　　3) よく寝られるように、(たくさん運動します)。

1-3. 1) B：ええ、ショーのときぬれないように、レインコートを貸します。

　　　2) B：ええ、外国人が分かるように、外国語のパンフレットを作りました。

　　　3) B：ええ、車いすの人が入れるように、スロープを作りました。

2-1. 1) 毎日日本語を話すようにしています。

　　　2) 毎日日本語のニュースを見るようにしています。

3）毎日予習をするようにしています。
4）毎日雑誌を読むようにしています。

2-2. 1）A：いい人間関係を作るために、何か気をつけていることがありますか。
　　　　B：はい、（一緒に食事をする）ようにしています。

3-1. 1）これは歯ブラシです。歯を磨くのに使います。
2）これは炊飯器です。ご飯を炊くのに使います。
3）これは電子レンジです。食べ物を温めるのに使います。
4）これは体温計です。熱を測るのに使います。

3-2. 1）A：この靴は山登りにいいですよ。
2）A：この靴はパーティーにいいですよ。
3）A：このかばんは1泊旅行にいいですよ。
4）A：このかばんは海外旅行にいいですよ。

3-3. 1）A：作るのに何日かかりましたか。
　　　　B：3週間かかりました。
2）A：作るのに雪が何トン必要でしたか。
　　　　B：30トン必要でした。
3）A：雪を運ぶのにトラックが何台要りましたか。
　　　　B：6台要りました。
4）A：作るのに何日かかりましたか。
　　　　B：20日かかりました。
5）A：作るのに雪が何トン必要でしたか。
　　　　B：15トン必要でした。
6）A：雪を運ぶのにトラックが何台要りましたか。
　　　　B：3台要りました。

4-1. 1）この靴は歩きやすいです。／履きやすいです。
　　　　この靴は歩きにくいです。／履きにくいです。

2) このハンバーガーは食べやすいです。
このハンバーガーは食べにくいです。
3) この服は着やすいです。
この服は着にくいです。

4-2. 1) 廊下は滑りやすいので、気をつけてください。
2) 山の天気は変わりやすいので、気をつけてください。
3) この枝は折れやすいので、気をつけてください。
4) この漢字は間違えやすいので、気をつけてください。

使いましょう 1
1) 神社やお寺へ行って、木の板にお願いを書きます。
2) 手を挙げて、お客さんを招いています。

36

1. 1) 呼ばれる 2) 騒がれる 3) 誘われる 4) 振られる 5) 建てられる
6) しかられる 7) 褒められる 8) 壊される 9) 発明される
10) 来られる

2-1. 1) わたしは課長に呼ばれました。 2) わたしは課長に褒められました。
3) わたしは子供に笑われました。 4) わたしは彼女に振られました。
5) わたしはアランさんに誘われました。

2-2. 1) B：ええ、先生に呼ばれたんです。欠席が多いと言われました。
2) B：ええ、先生にしかられたんです。おしゃべりが多いと言われました。

2-3. 1) B：さっき（先生）に褒められたんだ。（よく勉強してる）って言われたよ。
2) B：さっき（彼／彼女）にプロポーズされたんだ。（いつも一緒にいよう）って言われたよ。

3-1. 1) 隣の人にメールを見られました。 2) 店の人にワインをこぼされました。
3) 隣の人にたばこを吸われました。 4) 猫に魚を食べられました。
5) どろぼうにかばんを取られました。

3-2. 1) B：ゆうべ蚊に刺されて、大変だったんです。
　　　　A：(窓を閉めて寝たほうがいいですよ)。
2) B：ゆうべ友達に急に来られて、大変だったんです。
　　　　A：(急に来られると、困りますね)。
3) B：ゆうべ雨に降られて、大変だったんです。
　　　　A：(大変でしたね)。
4) B：ゆうべ子供に泣かれて、大変だったんです。
　　　　A：(じゃ、今日は早く帰って寝たほうがいいですよ)。

3-3. 1) A：キムさんに手伝ってもらいました。
　　　　B：(それはよかったですね)。
2) A：ポンさんに歌を歌ってもらいました。
　　　　B：(それはよかったですね)。
3) A：ポンさんに髪を短く切られました。
　　　　B：(それは大変でしたね)。
4) A：岩崎さんにメモを捨てられました。
　　　　B：(それは困りましたね)。

4-1. 1) 1971年にカラオケが発明されました。
2) 14世紀に姫路城が建てられました。
3) 平安時代に源氏物語が書かれました。

4-2. 1) ダイナマイトはノーベルによって発明されました。
2) ハムレットはシェークスピアによって書かれました。
3) ラジウムはマリー・キュリーによって発見されました。
4) タージ・マハルはシャー・ジャハーンによって作られました。

使いましょう

1) 小京都と言われています。　2) 6月に行われます。
3) 伝統的な工芸品が作られています。
4) 大変美しくて、みんなに親しまれている公園です。

37

1-1. 1) あのジュースは冷たそうです。　2) あの料理はおいしそうです。
3) あの人は忙しそうです。　4) あの人は暇そうです。
5) あの荷物は重そうです。

1-2. 1) A：この人、暗そうだね／気が弱そうだね。
B：(明るい) 人だよ。
2) A：この人、厳しそうだね／冷たそうだね。
B：(優しい) 人だよ。
3) A：この人、頑固そうだね。
B：(面白い) 人だよ。
4) A：この人、わがままそうだね／気が短そうだね。
B：(よく気がつく) 人だよ。

1-3. 1) 屋根が飛びそうです。　2) ドアが壊れそうです。
3) 電線が切れそうです。　4) 木の枝が折れそうです。
5) 男の人が落ちそうです。
6) 男の人がわにに食べられそうです。／わにが男の人を食べそうです。

1-4. 1) A：交流パーティーの当日何人手伝いに来られそうですか。
B：(20人ぐらい) 来られそうです。
A：(じゃ、大丈夫ですね)。
2) A：交流パーティーの材料費はいくらぐらいかかりそうですか。
B：(1万5千円ぐらい) かかりそうです。

A：(じゃ、お金は足りますね)。
3) A：交流パーティーの料理を作るのに何時間かかりそうですか。
B：(3時間ぐらい) かかりそうです。
A：(じゃ、9時に始めましょう)。
4) A：交流パーティーのどの料理がいちばん売れそうですか。
B：(カレーが) 売れそうです。
A：(じゃ、カレーをたくさん作りましょう)。
5) A：交流パーティーの後片付けにどのぐらい時間が使えそうですか。
B：(1時間ぐらい) 使えそうです。
A：(じゃ、ゆっくり片付けられますね)。

2-1. 1) 化粧しているところです。
2) 出かけるところです。
3) 盆踊りを踊っているところです。
4) 花火をしているところです。
5) すいかを食べるところです。
6) うちへ帰ったところです。

2-2. 1) 今からドライブに行くところ。(一緒に行かない？)
2) ちょうど今宿題が終わったところ。(一緒にゲームしない？)
3) 今旅行の写真を見ているところ。(一緒に見ない？)
4) 今キムさんが来たところ。(一緒におしゃべりしない？)

2-3. 1) B：今からミーティングが始まるところなんです。
2) B：部長に報告書を見てもらうところなんです。
3) B：(食事をしている／お客さんを待っている／帰って来た／出かける) ところなんです。

3. 1) このお菓子、いかがですか。食べてみてください。(おいしいですよ)。
2) この電子辞書、いかがですか。使ってみてください。(便利ですよ)。
3) このクッション、いかがですか。触ってみて／持ってみて／使ってみて／押し

てみてください。(気持ちがいいですよ)。

4) この靴、いかがですか。履いてみてください。(とても軽いですよ)。

使いましょう

1) このグラフは海外へ行った人の数を表すグラフです。このグラフを見ると、海外旅行に行った人が多くなっていることが分かります。これから、もっと増えそうです。ですから、(面白いツアーを作れば、売れる)と思います。

2) このグラフは生まれた赤ちゃんの数を表すグラフです。このグラフを見ると、赤ちゃんの数が減っていることが分かります。これから、もっと減りそうです。ですから、(日本の人口は減る／子供用の商品は売れない／子供用の商品は高くてもいいものを開発したほうがいい)と思います。

まとめ7

1. 1) おせば 2) おされる 3) くれば 4) こられる 5) せつめいすれば
6) せつめいされる 7) つくれば 8) つくられる 9) ほめれば
10) ほめられる

2. 1) パジャマを着たまま、来てしまいました。 2) 店の人に服を汚されました。
3) わあ、おいしそうですね。 4) ワインがなくなりそうです。
5) このケーキは食べにくいです。

3. 1.1) ○ 2) ○ 3) ×

38

1-1. 1) 来い。 2) 座れ。 3) 立て。 4) 待て／止まれ。

1-2. 1) 塀に登るな。 2) 犬、いじめるな。 3) 畑に入るな。

38

4) すいか、取るな。

1-3. 1) 行け。　2) 走れ。　3) 負けるな。　4) 止まるな。　5) シュートしろ。

2. 1) 起きなさい。　2) けんか、やめなさい。　3) 靴、履きなさい。
4) 早く食べなさい。　5) テレビ、消しなさい。

3-1. 1) これはここで泳ぐなという意味です。
2) これはくまに注意しろという意味です。
3) これは携帯電話を使うなという意味です。
4) これはまっすぐ行けという意味です。

3-2. 1) B：アイロンがかけられないという意味です。
2) B：正しいという意味です。　3) B：間違っているという意味です。
4) B：ちょっと違っているという意味です。
5) B：よくできているという意味です。

4. 1) A：あした会いたいと言っていました。
2) A：またあとで電話すると言っていました。
3) A：Bさんに荷物を送ったと言っていました。
4) A：少し遅れるかもしれないと言っていました。
5) A：今度一緒に食事をしようと言っていました。
6) A：(写真ができた) と言っていました。

使いましょう 1

1) 来いという意味です。　2) 怒るという意味です。
3) 静かにしろという意味です。　4) 少しだという意味です。
5) だめだという意味です。

使いましょう 2

1) 机の下に入ることです。

2) 上から看板やガラスが落ちて来て、けがをする可能性があるからです。
3) (懐中電灯：電気が止まるかもしれないから。)
   (毛布：寝るとき要るから。)
   (携帯電話：いつでも連絡できるから。)

39

1-1. 1) 雨が降っているようです。
2) カレーのようです。／カレーを作っているようです。
3) ウールのようです。　4) お酒が入っているようです。

1-2. 1) B：ええ、バーゲンをしているようですね。
2) B：ええ、有名人がいるようですね。
3) B：ええ、けんかをしているようですね。
4) B：ええ、事故があったようですね。

1-3. 1) A：いすが壊れていますね。　B：いすに座ったようですね。
2) A：はちみつが残っていませんね。
   B：はちみつが好きなようですね。／はちみつを食べたようですね。
3) A：大きい足跡と小さい足跡がありますね。
   B：お母さんのくまと子供のくまのようですね。
4) A：人形が壊れていますね。　B：人形で遊んだようですね。
5) A：ベッドが汚れていますね。　B：ベッドで寝たようですね。
6) A：果物をたくさん食べましたね。　B：果物が好きなようですね。
7) A：窓が割れていますね。　B：窓から出たようですね。
8) A：野菜が全部残っていますね。
   B：野菜を食べなかったようですね。／野菜が嫌いなようですね。

2-1. 1) 仕事が忙しいのに、給料が少ないです。
2) たくさん勉強したのに、テストの点が悪かったです。

3）日曜日なのに、仕事をしなければなりません。
4）雨が降っているのに、傘をさしていません。
5）おじいさんが立っているのに、席を譲りません。

2-2. 1）B：ううん、いつも宿題を手伝ってあげたのに、振られちゃった。
2）B：ううん、3年つきあったのに、振られちゃった。
3）B：ううん、何回もプロポーズしたのに、振られちゃった。
4）B：ううん、毎日お弁当を作ってあげたのに、振られちゃった。
5）B：ううん、（ネックレスをあげた）のに、振られちゃった。

3-1. 1）日本へ来たばかりです。　2）携帯電話を買ったばかりです。
3）食べたばかりです。　4）洗濯したばかりです。

3-2. 1）日本へ来たばかりなので、まだ日本語が分かりません。
2）携帯電話を買ったばかりなので、まだ使い方が分かりません。
3）食べたばかりなので、おなかがいっぱいです。
4）洗濯したばかりなので、ぬれています。

3-3. 1）さっき名前を聞いたばかりなのに、（忘れました）。
2）先月結婚したばかりなのに、（別れました）。
3）新しい自転車を買ったばかりなのに、（取られてしまいました）。
4）お金を下ろしたばかりなのに、（全部使ってしまいました）。

3-4. 1）A：日本へ来たばかりのとき、うれしかったことは何ですか。
　　　B：（友達が食事に誘ってくれた）ことです。
2）A：日本へ来たばかりのとき、びっくりしたことは何ですか。
　　　B：（人がたくさんいる）ことです。

使いましょう

1）理由	2）意見	
子供が生まれる。	辞めたほうがいい。	・子供はお母さんが育てなければならない。
子供が生まれる。	辞めないほうがいい。	・辞めたら、いい仕事が見つけにくい。
仕事が面白くない。	辞めたほうがいい。	・もっと面白い仕事を探す。
仕事が面白くない。	辞めないほうがいい。	・もう少し頑張れば、面白くなるかもしれない。

40

1. 1）行かせる 2）言わせる 3）いさせる 4）遊ばせる 5）待たせる
6）片付けさせる 7）来させる 8）練習させる 9）急がせる
10）作らせる

2-1. 1）先輩は後輩にシャツを洗濯させます。
2）先輩は後輩にアイロンをかけさせます。
3）先輩は後輩にお茶を持って来させます／お茶を入れさせます。
4）先輩は後輩に車を運転させます。
5）先輩は後輩に荷物を持たせます／荷物を運ばせます。
6）先輩は後輩に掃除させます。
7）先輩は後輩にラーメンを作らせます。

2-2. 1）先生は生徒を座らせます。 2）先生は生徒を立たせます。
3）先生は生徒を並ばせます。 4）先生は生徒を歩かせます。
5）先生は生徒を泳がせます。

2-3. B：わたしはロボットに（石油を掘らせ）たいです。

A：わたしは（町に花をたくさん植えさせ）たいです。

3-1. 1）母は妹にパーマをかけさせました。
父は妹にパーマをかけさせませんでした。
2）母は妹にピアスをさせました。
父は妹にピアスをさせませんでした。
3）母は妹に口紅をつけさせました。
父は妹に口紅をつけさせませんでした。
4）母は妹に派手なアクセサリーをさせました。
父は妹に派手なアクセサリーをさせませんでした。
5）母は妹につめを伸ばさせました。
父は妹につめを伸ばさせませんでした。

3-2. Ｂ１：一人旅をさせてくれました。バイクの免許を取らせてくれました。彼女／彼とつきあわせてくれました。一人暮らしをさせてくれました。夜、遊びに行かせてくれました。（イギリスに留学させてくれました）。

Ｂ２：一人旅をさせてくれませんでした。バイクの免許を取らせてくれませんでした。彼女／彼とつきあわせてくれませんでした。一人暮らしをさせてくれませんでした。夜、遊びに行かせてくれませんでした。（イギリスに留学させてくれませんでした）。

4. 1）Ａ：部長、すみませんが、もう一度調査に行かせていただけませんか。
2）Ａ：部長、すみませんが、あした休ませていただけませんか。
3）Ａ：部長、すみませんが、早退させていただけませんか。
4）Ａ：部長、すみませんが、プロジェクトの資料をコピーさせていただけませんか。

使いましょう

例）B：（いい大学に行くために10歳から勉強しなければならない／友達と同じことをさせたほうがいい／塾の勉強のほうが役に立つ／うちでは勉強

しない）からです。

C：（自由に遊ばせたほうがいい／勉強以外にいろいろな経験をさせたほうがいい／自由な時間を持たせたほうがいい／大切なことは勉強だけじゃない）からです。

1) A：3歳の子供に英語を習わせることについて、どう思いますか。

B：わたしたちは習わせたほうがいいと思います。（英語は将来役に立つ／受験のとき、いい学校に入りやすい／2つの言葉が自由に使えるようになる／子供のほうが速く英語を覚える）からです。

C：わたしたちは習わせないほうがいいと思います。（外で遊ばせたほうがいい／友達とたくさん遊ばせたほうがいい／自分の国の言葉のほうが大切だ／子供のとき覚えても、すぐ忘れる／子供は英語を話す機会がない／親より英語が上手になったら困る）からです。

2) A：高校生にアルバイトをさせることについて、どう思いますか。

B：わたしたちはさせたほうがいいと思います。（自分でいろいろなことができるようになる／いろいろな経験ができる）からです。

C：わたしたちはさせないほうがいいと思います。（高校生は勉強が大切だ／お金があると使ってしまう）からです。

41

1. 1) 召し上がります　2) なさいます　3) おっしゃいます
4) いらっしゃいます　5) ご覧になります　6) 下さいます　7) ご存じです

2. 1) 新製品をもうご覧になりましたか。
2) 会議の時間をご存じですか。　3) 報告書を読んでくださいましたか。

3-1. 1) お帰りになります　2) お出かけになります　3) お待ちになります
4) お使いになります　5) お休みになります　6) お会いになります
7) お乗りになります

3-2. A：(何時に空港にお着きになりますか)。　B：(午後2時に着きます)。
　　　A：(どのホテルにお泊まりになりますか)。　B：(ウィーンホテルに泊まります)。
　　　A：(ホテルの場所がお分かりになりますか)。　B：(はい、分かります)。
　　　A：(いつお帰りになりますか)。　B：(金曜日帰ります)。

3-3. 1) 町をゆっくり見物なさいました。
　　　2) 靴屋でスニーカーをお買いになりました。
　　　3) 美容院で髪をお切りになりました。
　　　4) アイスクリームを召し上がりました。
　　　5) 疲れて、桜の木の下でお休みになりました。
　　　6) 公園で太郎というピアニストにお会いになりました。
　　　7) 2人で自転車にお乗りになりました。
　　　8) パーティーで歌をお歌いになりました。
　　　9) 王女様は帰りたくないとおっしゃいました。
　　　10) 王女様は泣きながらホテルへお帰りになりました。

4-1. 1) A：お客様、どうぞこちらでお休みください。
　　　2) A：お客様、どうぞ座布団をお使いください。
　　　3) A：お客様、どうぞ貴重品を金庫にお入れください。
　　　4) A：お客様、どうぞ浴衣にお着替えください。
　　　5) A：お客様、どうぞ庭の散歩をお楽しみください。

4-2. 1) シートベルトをお締めください。
　　　2) パンフレットを1部ずつお取りください。
　　　3) 2列にお並びください。
　　　4) 少々お待ちください。
　　　5) ここで靴をお脱ぎください。
　　　6) 廊下は静かにお歩きください。

5. 1) 読まれます　2) 使われます　3) 聞かれます　4) 来られます
　　5) されます　6) 出かけられます　7) 降りられます　8) 帰られます

6. 1）水曜日は雑誌のインタビューを受けられます。
   2）木曜日は支店長に会われます。
   3）金曜日はホンコンへ出張されます。

使いましょう

1）A：(今朝、何を召し上がりましたか)。 B：(パンとサラダを食べました)。
2）A：(家でテレビをご覧になりますか)。 B：(はい、毎晩見ます)。
3）A：(週末どこへいらっしゃいましたか)。 B：(公園へ行きました)。

42

1. 1）頂きます 2）伺います 3）申します 4）参ります
   5）いたします 6）伺います 7）おります 8）拝見します
   9）存じております

2-1. 1）B：去年の秋に参りました 2）B：いいえ、家族は国におります
   3）B：伺います 4）B：はい、存じております

3-1. 1）タクシーをお呼びしましょうか。 2）傘をお貸ししましょうか。
   3）写真をお撮りしましょうか。 4）お荷物をお持ちしましょうか。

3-2. 1）B：私がご案内します。 2）B：私がご紹介します。
   3）B：私がご説明することになりました。

使いましょう 1

1）(韓国)です。 2）(2年前に)参りました。
3）(日本の経済を勉強したい)からです。
4）(この大学は歴史があって、いい先生がたくさんいらっしゃる)からです。
5）(会社を作りたい)と思っております。

使いましょう 2

2) B：(書類が届いた／書類を頂いた)とお伝えください。

まとめ8

1. 1) つかうな　2) つかわせる　3) つかわれる　4) あけろ　5) あけさせる
   6) あけられる　7) しろ　8) するな　9) される　10) こい　11) くるな
   12) こさせる

2. 1) すみません、写真を撮らせていただけませんか。
   2) 子供にお酒を飲ませてはいけないよ。
   3) ここは止めてはいけないのに。／ここは駐車禁止なのに。
   4) そのバイク、止まれ！／止まりなさい！
   5) わたしにもちょっと聞かせて。

3. 1) 社長、コーヒーをお入れしましょうか。
   2) 部長にお会いになりましたか。／会われましたか。
   3) この資料はもうご覧になりましたか。
   4) タクシーをお呼びしましょうか。
   5) あした何時に会社にいらっしゃいますか。／来られますか。